ILYA AND EMILIA KABAKOV'S DREAMS

カバコフの夢

越後妻有へのメッセージ

こんな遠く、それも日本の田舎に自分たちのアーカイヴができるなんて、不思議なものです。私たちが生まれた国でも、今暮らしている国でもない、越後妻有に。

かれこれ20年以上も前にこの地に連れられて来た時、私たちがまず気づいたのは、広大な大地、田んぼ、そして信じがたいほど穏やかな気分でした。

越後妻有に暮らす皆さんは、私たちの目の前で、この土地を世界最高のアーティストたちの美しく意味のある作品でいっぱいにするという魅力的な夢の網を紡いでいました。

越後妻有の皆さんは、ありえない夢を私たちに見せる魔法使いでした。

しかしあなた方は、魔法の杖を振って約束を果たすだけでなくそれ以上をつくりだすことができる魔法使いでした。

皆さんは、真の魔法の王国を生みだしたのです。

そこは、多くのアーティストが作品を創り、その風景を永遠に変えた文化的な魔法の国です。

私たちは、自らの土地に、私たちの作品を設置することを厭わず、そして、多くのアーティストが夢を形にすることを手伝ってくださった越後妻有の皆さん（そしてディレクター）に感謝します。

詩、物語、音楽、ダンス、彫刻、絵、インスタレーションなど、どんな形であれ文化の美しさと重要性は、それが、いかなる政治的、経済的、自然の変化にあっても永遠にありつづけるということです。

それは、世代を超えて何度でも受け継がれ、それこそが私たちを「人間」とし、「人間」でありつづけさせるものなのだと思い出させてくれます。

今では私たちはこの地球のどこかに「夢が叶う」場所があるということを知っています。

イリヤ＆エミリア・カバコフ

「カバコフの夢」に至るまで

北川フラム

カバコフの作品の初見は1993年のヴェネツィア・ビエンナーレで、ロシア風とも思えるいかにも作りものの建築物の迷路のような内部空間を通りぬけて、不思議な気持ちになったことを覚えている。表現活動が厳しいロシアを出て、たちまち世界的に知られることになった作家が越後妻有に来てなにをつくってくれるか興味があった。快く来日してくれた。それが最初である。

1999年3月、イリヤ&エミリア・カバコフが来日、雪が残っている季節だ。こちらで作品設置の場所として想定している妻有、松代を巡ったあと、イリヤ・カバコフはほくほく線の無人駅まつだいの1番線ホームで100メートル先の、通称「城山」といっている標高100メートル位にある棚田の方角を眺めたまま動かなくなってしまった。どのくらいの時間が過ぎたのだろうか?　30分?　2時間?　時々うなずいたりしているし、たまにはこちらを見て、あのやわらかな笑顔で会釈してくれる。これが作品《棚田》着想につながったのだと知るのは、数か月後に送られてきたデッサンを見た時だった。それは、53歳で海外に出るまでの約40年間、発表もできずに考えていた無数のプロジェクトにつながる立体絵本なのだろうと思えた。(また、《棚田》とつながるカバコフの過去の作品には、労働を主題とする点では、劇場のチケット売りなどを題材にした絵本『チーマはおうちにいます』(1969)があり、一地点から遠くを見る手法は《三夜》(1989)、《観察者(照らされた窓)》にもあることを教えられた。)

この棚田は近くに棲む福島友喜さんが営農しているものだった。実を言えば、棚田は2000年に止める予定とのことで、使用のお願いを最初にした時は好ましくないご返事だった。それからカバコフの詩の翻訳をし、丁寧なプレゼンテーションを行った。その詩が実によいのだった(57頁参照)。

カバコフのこの詩と作品は、妻有と、その地で農業をやっている百姓の労苦に対するオマージュであった。福島さんに「否」はない。それどころか今までに増して除草を丁寧にしてくださるようになった!　ロシアと妻有の農民の気が通じたのだった。農舞台ができて、ピロティでイベントをやる時には、福島さんの働く姿が大切な点景にもなり、それをまた彼は喜んでいたようだった。

身体が弱りながらも耕作しつづけた田圃だったが、2006年、福島さんはついに引退した。その秋、テレビ朝日は全国放送で、カバコフの《棚田》について放送し、福島さんの引退を報道したのだった。この棚田を家族連れや子どもたちが楽しんで歩く姿は、対岸で見ている私たちにとっても、言いよ

福島友喜さん
Mr. Fukushima Tomoyoshi

《棚田》と子どもたち
“The Rice Fields” and local children

うのない嬉しい光景だった。大人たちの丹精こめた仕事のなかに子どもたちが遊ぶ姿は、えも言われぬ豊かさと晴れやかさなのだった。こうして《棚田》は「大地の芸術祭」を代表する作品になった。福島さんは2017年に亡くなり、その棚田は今、私たちが引き継いでいる。

1回目が1年延び、やっとのことで開催できた「大地の芸術祭」(2000年)は、なんとか2回目がやれ、3回目に漕ぎつけたところから少しずつ地域に理解されだした。2014年にカバコフの研究者である鴻野わか菜さんから連絡があった。パリのグランパレでの個展のあと、カバコフは美術界の商業主義やエゴイズムに疲れはて引退も考えていたそうだが、突然、「俺には妻有がある」と言いだし、作品をつくりたがっているとのことだった。カバコフからの申し出だ。それは人生の諸段階を表す《人生のアーチ》だった。

- 人生の始まりを示す「卵」の形をした人間の頭
- 人生に向きあうことを恐れてライオンの仮面を被っている「少年」
- 「光の箱を背負う男」
- 「壁を登ろうとする男、あるいは永遠の亡命」
- 「終末、疲れた男」

まさにこれは私たちの人生ではないか、と思う。カバコフが私たちに贈ってくれた墓碑のように思い、鞍掛純一さんに頼み仕上げて貰ったのだ。

そして2020年6月9日、カバコフから《手をたずさえる塔》の提案があった。新型コロナウイルスが世界的に流行しはじめた頃だった。(この年、カバコフは87歳、エミリアは75歳。)第8回展の作家と予算が既に決まっていた段階だった。また、まつだい「農舞台」の改修もしなければならなかった。もしかして世界が自然との関わりにおいて全面的に変化する兆しがあるなかで、私には、抑圧のなかで夢を紡ぎつづけたカバコフの作品、それも松代の城山にあって世界の喜怒哀楽の表情をあらわす照明が照らしだす風景はとても美しいものに思えたのだった。それはオランダのホイジンガが、1919年に出版された『中世の秋』で述べたような鐘の音に思えたのだった。

> ある一つの音が煩瑣な生活に打勝って常に高らかに響いていた。それはどんなに重なり合っても決して乱れることなく、すべてを統一して秩序ある階調に高めて行く鐘の音だった。鐘は日常生活の監視役をつとめる善霊であるかの如く、聞きなれた音色で、或る時は悲しみ

イリヤ・カバコフ　棚田　スケッチ　1999
Ilya Kabakov. The Rice Fields (sketch)

イリヤ・カバコフ　棚田　スケッチ　1999
Ilya Kabakov. The Rice Fields (sketch)

を、或る時は喜びを、時に休息を、時に不安を告げ知らせ、人々を呼び集め、また警めた。鏡は民衆に親しみ深い名で呼ばれていた……

（兼岩正夫・里見元一郎訳）

世界のどこにもある一軒の家、あるいは小さな集落、そして町村には、それぞれの共同体が共有する感情がある。それは子どもの痛みを母親が直感的に同じように感ずるのに近いかもしれない、一種の共同主観である。

そこから、2015年の《人生のアーチ》をコーディネートしてくださった鴻野さんをキュレーターとして数日ごとのやりとりが続いていったのである。①とにかくこの塔を実現しよう。②《手をたずさえる塔》の基礎台座部分を展示室にしよう。そこには《手をたずさえる船》プロジェクトが良いのではないか。③カバコフを知るための資料室を改修するまつだい「農舞台」内につくろう。そこにはインスタレーションも置きたい。《自分のアパートから宇宙に飛び出した男》がよいが、天井の高さが足りない。④《10のアルバム》がよいとカバコフ。⑤《プロジェクト宮殿》と《アーティストの図書館》もありえる。《自分をより良くする方法》は独立させたほうがよい。《手をたずさえる塔》でお願いした利光収さん、田尾玄秀さんに農舞台の改修もお願いする。せっかくだから越後妻有里山現代美術館MonETにも一室をつくれないか、それなら《16本のロープ》がよい等々。

この間コロナは猖獗を極め、2020年3月には「房総里山芸術祭　いちはらアート×ミックス」のオープンが控えており、作品制作のほとんどが進行していたが、延期やむなしになった。長野県大町市の「北アルプス国際芸術祭」（2020年6月）も、石川県珠洲市の「奥能登国際芸術祭」（2020年9月）も延期せざるを得ない状況になっていた。今年になって「大地の芸術祭」も2022年に延期せざるをえなくなった。

新型コロナ対策はこの国ではオリンピック開催という政治日程にあわせて車の両輪の具合で進んでいったが、材質も大きさも違う両輪を制動できる筈もない。1年延期が決められたが、「東北大震災・福島の復興」というオリンピック開催の目標が「コロナに打ち克った証」という目的にすり替えられた挙げく、無観客になった。政治のひどさについては措いておくとしても、新型コロナウイルスとはなにか、地球環境の危機のなかでのウイルス、情報・金融におけるグローバル化と人の移動、会

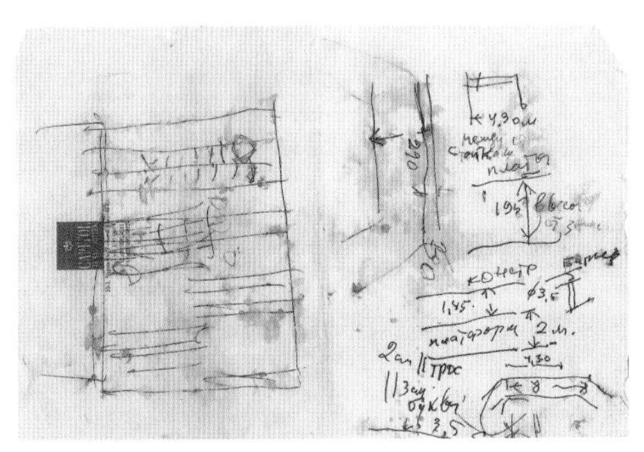

イリヤ・カバコフ　棚田　スケッチ　1999
Ilya Kabakov. The Rice Fields (sketch)

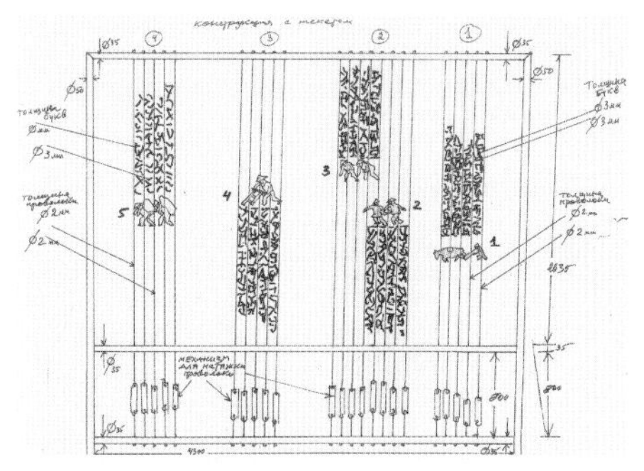

イリヤ・カバコフ　棚田　スケッチ　1999
Ilya Kabakov. The Rice Fields (sketch)

話、会食という人類が人類であったことの社会性が閉ざされていくなかでの隔離と分断については隅に追いやられてしまっていった。私たちについて言えば、芸術祭の作品を実際に制作できるのか、見てもらえるのかを第一義にして、地元自治体、地域との話しあいをしていったが、見通しのない国の政治の紆余曲折、思いつきによって翻弄されっぱなしだった。アーティストが現場に来られない、地域をまたいで動けない、サポーターが参加できない、芸術祭の延期は余分のお金がかかるが、期間が延びるだけ労力は増えていく（実労働の単価は3分の1、2分の1になっていく）等の問題があった。

この間、もともと予定にないカバコフ作品を実現するにあたったキュレーター、担当者、建築家、工務店、その他の努力には感謝しかないが、日本、世界のアーティスト、美術関係者の奮闘も同じように私たちを鼓舞してくれた。それは文化・芸術・表現の限りない後退戦のなかで、一人ひとりの生理であり呼吸でもある作品をつくり、体験していただこうとする徳俵でのふん張りなのだ。まさに一人のアーティストの作品は同時代の人々の意志によってつくられていくことを肌で感じたことを報告しておきたい。世界がコロナ禍にあった2021年であったからこそできた越後妻有でのカバコフの作品群を一言で呼ぶには「カバコフの夢」というしかない。それらが「大地の芸術祭」を2022年に延期せざるを得なかったが、2021年の「今年の越後妻有」を実現させた力でもあった。

（きたがわ ふらむ　大地の芸術祭 越後妻有
アートトリエンナーレ総合ディレクター）

カバコフの夢

鴻野わか菜

夢の博物館

カバコフの作品は夢に満ちている。

淡く白い光を放つ二階建ての巨大なインスタレーション《プロジェクト宮殿》(1998)は、ソ連で生きた市井の人々の夢を保存する博物館である。アーティストであると同時に、ロシアの幻想文学、不条理文学の豊かな水脈につらなる小説家でもあるカバコフは、65人の夢想家の形象をつくりだし、彼らの夢や計画を、テクスト、ドローイング、オブジェで描きだした。天使の羽をつくって背中につけることでより良い人間になろうとする計画、ロケットで巨大パネルを空に打ち上げ、生命エネルギーを地球の各地域に平等に分配しようとする計画、自宅の踊り場に馬を連れてきて、そこから馬を安全に下ろすという難問に取り組むことで脳を活性化し、自分が抱える別の難題の解決法も見つけようとする計画など、滑稽な計画、ささやかで愛らしい計画もあれば、SF的な壮大な計画もある。カバコフは、「この世界は、実現された計画、なかば実現された計画、まったく実現されていない計画など、実に多くの計画でできている」という考えのもとに、人間の夢や計画を人々の生きた証と捉えて、挫折、失敗した夢も含めて保存し、永遠に記憶しようとする。

紙芝居風の作品《10のアルバム》(1970-74)も、夢みる人々が主人公である。第6アルバム《飛び立ったコマロフ》では、暗鬱な日常生活に倦み疲れ、すべての苦しみからの解放を願ってアパートのバルコニーから外に出た男が、人々が広い空で自由に暮らす世界を夢にみる。男は空を飛びながら、人々が鳥の橇で空中を気持ちよく駆けめぐり、友人を招いて空の居間でなごやかにお茶を飲み、海面すれすれに浮かんで釣りを楽しむ光景に見惚れる。だが物語の後半で不意に目撃者が現れ、あの男は両手を振り回してバルコニーから転落したと証言する。物語の結末は、「彼は私たちが永遠に失ってしまった天国の光景を見出しました……平穏と喜びが君臨し、すべてが永遠の至福に包まれている幸せな世界……そこでは人々は手をたずさえ、陽の光に満ちた緑の自然のなかで暮らしている……」という言葉で結ばれる。

第1アルバム《クローゼットにこもるプリマコフ》は、クローゼットのなかにひきこもって暮らす男の子の物語だ。彼はクローゼットの扉を固く閉ざし、暗闇で夢をめぐらせ、自分が空高くのぼっていく情景を空想する。そしてある日、あまりの静けさを不審に思って家族がクローゼットの扉を開けると、子どもの姿は忽然と消えていた。部屋にはいつも誰かがいて、男の子が外に出ることは不可能だったのに。

飛び立ったコマロフ（10のアルバム） 1970-74
Flying Komarov (10 Albums)

装飾家マルィギン（10のアルバム）1970-74
The Decorator Maligin (10 Albums)

ソ連の共同住宅を舞台にした《10の人物》（1988）も、10人の夢想家の物語である。いつか宇宙に飛び立つことを夢みて自室で飛行装置をつくりつづけた男は、ある日、本当に天井を突き破って「どこか」へ旅立っていく。統制され分断された社会で極限状態に陥り、法外な夢に救いを求めざるをえなかった人々に思いを馳せるカバコフは、彼らの夢を尊いものとして丹念に記録する姿勢を貫いている。そのまなざしは、ヴィム・ヴェンダースの映画『ベルリン天使の詩』における、人間に寄り添い彼らの生を書き留める天使にも通じるものだ。

カバコフの軌跡

イリヤ・カバコフは1933年、旧ソ連（現ウクライナ）のドニエプロペトロフスクで生まれた。戦火を逃れて疎開したサマルカンドで美術学校に入学し、1945年にはモスクワに移住し、美術の勉強を続ける。芸術大学在学中に絵本の挿画の仕事を始め、80年代末までに100冊前後の絵本を制作してソ連時代を生き延びたが、文化統制下で検閲を意識しながら出版物をつくる仕事は不自由なものであり、カバコフは自分は絵本作家という「社会的役回りを演じた」と述べている。

カバコフは公的には絵本作家として生きる一方で、「自分のため」の作品をひそかに制作したが、「社会主義リアリズム」が芸術の公式路線とされたソ連では作品の発表の機会はほとんどなく、仲間の非公認アーティストたちにのみアトリエやアパートで作品を見せる生活が50代初めまで続いた。だが、1985年のペレストロイカの始まりと共に、ドイツやアメリカでの滞在制作や展示が可能になり、1989年には、ニューヨークでキュレーターとして働いていたエミリアとのコラボレーションを始め、92年に二人はニューヨークに移住する。

活動の場を西側に移してからのカバコフは、80年代後半から90年代にかけて、ソ連的空間を「再現」する全体主義芸術（トータル・インスタレーション）の制作に熱心に取り組んだ。テキサスの荒野に設置した《見捨てられた学校、あるいは第6小学校》（1993）は、教室、食堂、職員室などで構成され、教室には生徒のノートや教科書が散乱し、壁にはレーニンの肖像画が掛かっている。本作はソ連という失われた国を表象しているが、カバコフは、誰もがかつてこの建物と同じような間取りの学校に通ったことがあり、これは人々の記憶のなかにある学校のイメージでもあると語っている。

《赤い車輛》（1991）は三部構成のインスタレーションで、第一部は1920年代の構成主義風の木造建

自分のアパートから宇宙に飛び出した男（10の人物）1988
The Man Who Flew into Space from His Apartment (10 Characters)

16本のロープ　カバコフのアトリエでの展示　1984
16 Ropes. View of installation, Kabakov's studio

築物であり、明るい未来を建設しようという希望に満ちていた1917年から33年のソ連を表している。第二部の車輛の内部には社会主義リアリズム様式で描かれた楽園的な風景画が掛かり、当時の音楽も流れ、1934年から63年までのソ連と対応している。第三部は、車輛の後方に散乱するゴミの山で、空想が崩壊した1964年から85年を指している。歴史や国家に対するアイロニカルな視点を交えた作品であるが、本作が90年代にウィーンで展示された際に会場を訪れたロシア人グループは、車輛のなかでユートピア的な風景画を眺め、懐かしい音楽を聞くうちに、昔の夢に再びとらわれ、ダンスを踊りはじめたという。カバコフの作品はまさに「記憶たちが棲むための場所」（港千尋）にほかならない。

《16本のロープ》（1984/2021）をはじめとする「ゴミ」を用いた作品も、記憶が主題である。缶や木片などのさまざまな「ゴミ」を、日常の他愛ない会話を記したカードと共にロープに吊るした本作において、カバコフは、あらゆる人々の生や声を記憶しようとする。そこには、たとえ特別な出来事がなくても日々の暮らしこそが尊く愛おしいという作家の世界観を見てとることができる。《10のアルバム》の第8アルバム《装飾家マルィギン》における、中央が空っぽで、端や隅だけに花や人物や食卓を描いた作品もまた、国家や社会にとっては周縁的なものであるかもしれない個人の日常こそがリアルなものであることを物語っている。

美術の可能性

カバコフの創作を見渡して気づかされるのは、初期から現在までを通じて、「見ること」によって自分を変えるという主題がくりかえし現れることだ。《10の人物》の登場人物の一人は、自分が描いた絵を見つめつづけることで絵のなかに飛び込み、ここではないどこかへ旅立っていく。《プロジェクト宮殿》に収められた《前向きな姿勢と楽天主義に照らされる》は、三方を板で囲ったブースの内側に自然や花々などの明るい絵や写真を貼りつけ眺めることで、元気になろうとする計画である。動物や植物のミニチュアを用いて楽園を思わせる箱庭をつくって見つめることにより、天国にいるつもりになるというプロジェクトもある。子どもの頃に好きだった絵本の挿絵を壁に貼り、マットレスに横になって見入ることで、幸せな幼年時代に帰ろうとする男も登場する。

「見ること」の治癒力を主題とした一連の作品もある。《記憶療法》（1997）では、病室の壁に患者の家族のアルバムがスライドで映し出され、患者もその家族も、それを見ることで癒やされる。一方、《絵

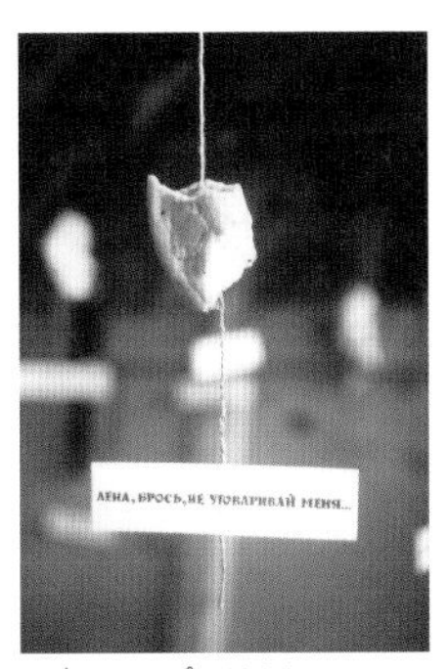

16本のロープ　1984
16 Ropes

プロジェクト宮殿　1998
The Palace of Projects

画療法》(1996)は、精神病棟に風景画などを展示することで、患者の心に働きかけようとするプロジェクトを描きだす。

「見ること」によって幸福になる、あるいは自らの内面を変えていくというカバコフの主題を理解するためには、ポスターや横断幕などをつうじてイデオロギー的な言葉が町に溢れ、共同住宅の劣悪な住環境によって人々が自宅においても視界に入るものを自由に選びとることができなかったソ連の生活において、なにかを意識的に「見ること」がすでに創造的な行為であったことを想起する必要がある。

また、より重要なのは、「見ること」で自分を変えるという主題の根底には、カバコフが美術の可能性に寄せる揺るがぬ信頼があるということだ。それはすなわち、美術作品が人に働きかけ変容させ得るというカバコフの夢であり、プロジェクトである。カバコフの初期の作品において、「見ること」はしばしば登場人物の個人的な営みであり、それは個人に閉鎖空間からの解放や幸福をもたらしたが、後期になるにつれて「共に見ること」という主題が強まってきたことは注目に値する。その背景には、ソ連が崩壊し、21世紀になった今もなお一向に解消されることのない世界の分断の状況があり、そうした世界を見つめながら美術とはなにかを問いつづけて制作してきたカバコフの夢の軌跡がある。

今回、松代の山中に設置される、共生、多様性を象徴するパブリックアート《手をたずさえる塔》も、「共に見る」ための、あるいは見ることによって「共に生きる」ための作品である。カバコフは、塔のまわりで人々が憩いながら、塔を眺め、それと同時に塔を包みこむ山や空を眺めることで、そのむこうに広がる世界と自分のつながりを感じる場所にしたいと夢みる。そして塔は、塔を見る人々の心に寄り添い、世界や地域の状況を反映して、悲しみの時代、喜びの日々、祝祭の時などによって優しく色を変えていく。

越後妻有で生まれたこれらの「カバコフの夢」の作品群は、カバコフの夢のアーカイヴであるだけでなく、あらゆる人の生と夢に捧げられた共生のプロジェクトである。カバコフの作品は、生きることは困難だが夢をみることができる、そして夢はたとえ実現しなくても、夢みること自体に意味があるということを伝え、私たちがそれぞれの夢をみながら他者とつながり、死後もさまざまな形で記憶され、受け継がれていくことを告げている。

（こうの　わかな　ロシア文学・文化／
早稲田大学教育・総合科学学術院教授）

目次
Contents

Мечтания Кабаковых

「カバコフの夢」は、イリヤ&エミリア・カバコフが2000年から2021年にかけて越後妻有で制作し、まつだい「農舞台」フィールドミュージアムと越後妻有里山現代美術館 MonETで常設展示されている以下の9作品を指す。
棚田(2000)、人生のアーチ(2015)、16本のロープ(1984 / 2021)、10のアルバム 迷宮(1990 / 2021)、自分をより良くする方法(1995 / 2021)、アーティストの図書館(1996 / 2021)、《プロジェクト宮殿》より5つのプロジェクト(1998 / 2021)、手をたずさえる船(2005 / 2021)、手をたずさえる塔(2021)

16 веревок

16本のロープ
16 Ropes

1984/2021

　1984年以降カバコフがくりかえし取り組んでいる代表作のひとつ。ソ連の公的機関を思わせる色彩（緑とライトグレー）で塗り分けられた部屋で、頭上に張り巡らされた16本のロープに紙切れや木片など数百の「ゴミ」がぶら下がり、各々にメモがつけられている。メモには自然、家事、愛などをめぐるさまざまな会話が書かれている。

「今夜出かけるところはあるかな？　なにもかも退屈で、なにをしたらいいか分からない」
「もしスープを飲むなら温めるわ…… 手を洗っていらっしゃい」
「私のこと愛している？　それならパンを買ってきて……」
「あなたももうすぐ去っていくのね。ほら、みんな行ってしまった」

　これらの言葉は「個人のものであると同時に皆の言葉である」と作家は述べる。カバコフはソ連時代に、自分が属している社会とそこで暮らす人々の人生を記憶するために、人々の声を記録しはじめたという。本作は、日常の営み、感情、あらゆる人々の生を記憶したいという作家の思いを反映している。

イリヤ・カバコフ　16本のロープのコンセプト・ドローイング　1995
Ilya Kabakov. The Concept Drawing of “16 Ropes”

靴を磨いてね。
ほら、かなり汚れているよ。
You know what, I cannot stand this anymore!
You know what, don’t offend me again!

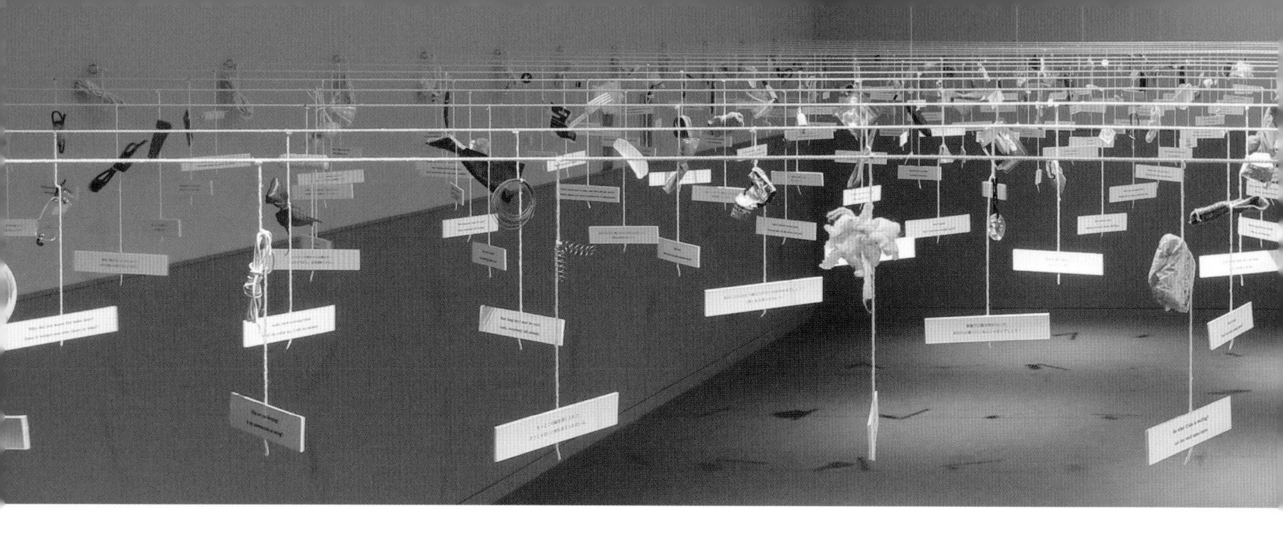

ライラックがきれいに咲いてるわ！
家に持って帰りましょう。

今日は早く家に帰ってきてね。
ドアを塗るのを手伝って。

なぜ今日はそんなに優しいの？
お給料をもらったとか？

図書館からなにを借りてきたか見て！
今晩はこれを読もうね……

待って、もう少しここにいて……
パン屋に行って、すぐ帰ってくるから。

僕たち、とてもいい時間を過ごしたね。
なぜ君は夜、来なかったの？

あなたは子どもたちのことを分かっていない。
子どもを愛したことなんてない。

いつ家に来るの？
マーシャはすっかり大きくなったわ。

朝はひどい気分だ……
ああ、もう少し座っていたいな。一日中走り回ってばかりだ。

それはあなたの猫？
背の高い赤毛の猫を飼っていなかった？

今晩、時間がある？
僕たち、どこかに行かない？

プーシキンの本のこの箇所を覚えている？
田舎について書いた部分を？

胃に効くからこれを飲んで。
きれいなグラスを使ってね。

先週私に約束したことを覚えてる？
ああ、覚えてないでしょう！

今晩、帰りは遅い？
それならハンバーグはつくらないね。

彼のところにはもう行かない……
彼が私にできることはなにもない。

僕の財布はどこ？
見かけたのに。ここに置いたのになあ……

朝食のあと、池に行きましょう。
セーターを着てね。あそこは寒いかもしれない。

お食事は取られていますか？
ご自分の様子をご覧ください。お疲れのようですよ……

この鍋をベールキンから借りた？
すぐに戻してきて……

昨日、森を散歩した。
自然のなかはとても気持ちがいいなあ！

バスを待つのはやめよう。
少し歩こうよ。

ねえ、私はなにも分からない。
すべてが霧にでも包まれているみたい。

彼はまた歌いはじめた。
なんてひどい声。

あとでおいでになりますか？
ソコロフ一家もお招きしますよ。

彼らはリンゴを持ってきたよ！
早く行って、2キロ手に入れて！

見て、あの星はなんて明るいんでしょう！
そこじゃなくて、もっと右よ！

あっちを向いて、あっちを向いてよ！
私が服を脱いでいるのが分からないの？

夏は暑すぎますね……
赤ちゃん連れでそこへは行けないわ……

マッチを持ってこなかったの？
それで私たちどうするの？

この包みは持っていく？　ここに残しておく？
僕にはもう必要ない……

メガネをどこに置いたか見てごらん。
誰かが上に座って壊してしまうよ。

私たちをあまり訪ねてくださいませんね。
電話もくださらないではないですか！

彼女は一人暮らしだ。
彼女を助けてくれる人はいない。

ここに来て。
明日会える？

ほら、こんなに強い風。
襟を立てると暖かくなるよ。

彼女と話さないようにしよう。
それは私には厄介なことだから。

窓から彼らを脅かさないで。
彼らがあなたを困らせたとでもいうの？

どうして寝ているの？
私の話はそんなにつまらない？

彼女が美しいとしても、それがなんだ？
彼女はそれでも孤独だ……
やめるんだ、分かったか？

私にピカソの話をする必要はない。
彼は天才だから、全然理解できない。

ワーリャ、僕にそのことを思い出させないで。
君が言わなくても、僕はなにをすべきか分かってる。

霊的なものは、この世界からすっかり消えてしまったと思う？
そういうものを信じていないの？

化学の例を私に出すのはやめて。
あなたは結局なにも分かってない。

髪を染めて赤い縞を入れるのは、もう珍しくない。
昨日もそんな人が二人通りかかったのを見た。

セネカを読んだ？
そう、彼が勧めるように忍耐強くないとね。

彼らのところからバケツを持ってくるのを忘れないで。
どうせ彼らには要らないものだし。

靴を磨いてね。
ほら、かなり汚れているよ。

あなたのためにどこでもっと手に入れられる？
ここにお店があると思いますか？

彼女が待っていたらなんだというの？
もう少し待たせておこう。

どいて！　部屋中を占領してるよ！
聞こえなかった？

もっとこの鋲を深く入れて。
そうじゃないとなにも支えられないよ。

床をそんなに踏み鳴らさないで！
足をもっとそっと下ろせない？

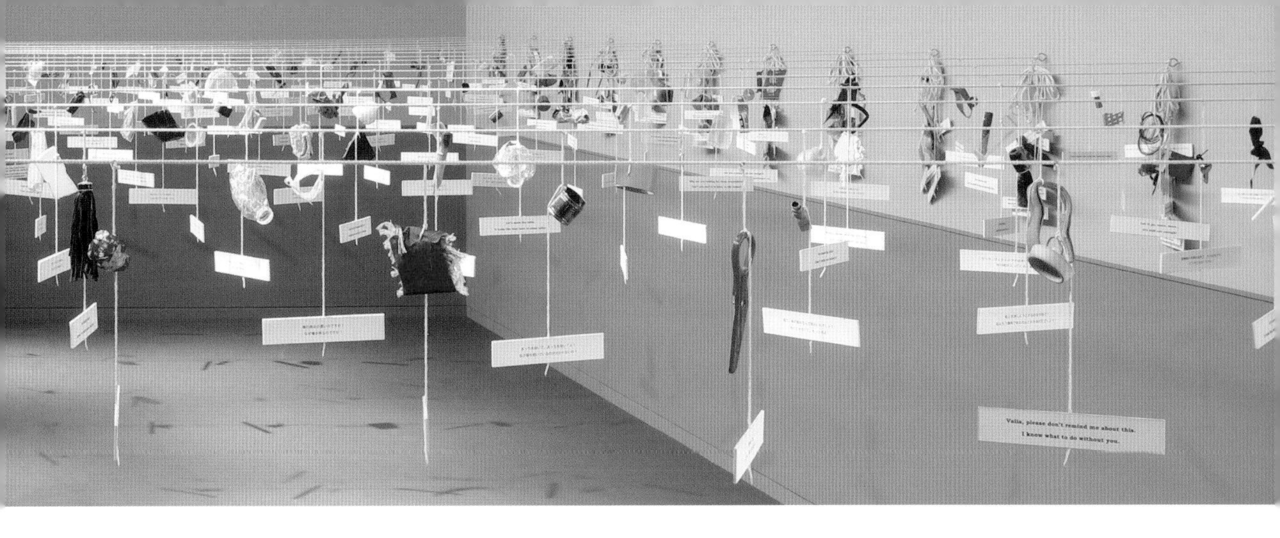

どうして僕を放り出すんだ?
僕、ここであなたの邪魔をしてる?

私がなにも残していないのが見えないの?
なぜずっと頼みつづけるの?

あなたの手がどうなったのか見て!
行って、軟膏を持ってきて。

私に生き方を教えないで!
もう子どもじゃないのよ。

この天気はどうなっているんだろう。
フード付きのコートを着るといいよ。

なぜ私をイライラさせるの?
なぜあなたに電話しなくちゃいけないの?

なぜ、夜来ないよと彼女に言ったの?
そうやってあなたは彼女を脅すのね……

僕、あなたになんて言った?
君がいるところにいていいんだ。

窓を洗わないことにしましょう……
外は霧が深いから……

緑は取らないで……
どうせ役に立たないから。

それをここから持っていって!
あなたにはなんでもくりかえし言わないといけないの?

なぜこんなに重いのを買ったの?
なにか他のを選べなかったの?
それをここに移して……

もう来なくていいのよ……
それに私にもう電話しないで!

ほら、もう2瓶持っていって……
クローゼットに運んで、そこで私を待っていて

なぜテーブルがこんなに汚いの?
食事ができないよ。

なぜ眠らないの?
頭が痛いの?

マリヤ・ワシーリエヴナ、すみません。
ブラシを少しお借りしてもよろしいですか?

この犬をここから出して!
ほら、床をすっかり汚してしまったよ。

マカロフ一家はもう来ないよ。
なにか彼らに不快なことを言ったね。

彼らは退屈だ。
僕はそこには行かない。

そのゴミを捨てて!
家に持って帰らないで!

このベンチをここに移動させましょう。
あといくつ届いたか見てみましょう。

何時に私のところに来る?
私も出かけないといけないから遅れないでね!

なぜすべてを怖がるの?
彼らはあなたになにもしなかったのに!

そんなに早く回らないで……
彼女が転んで骨を折るかもしれない。

時計を見て!
そんなに遅い?

ここにいて……
箱をあとふたつ持ってくる。

私はそれをカップに入れるのは好きじゃないの。
噛んで味わうのが好き。

ずっと走り回っているのはやめて。
私と座っていて。

彼はあまりに怠け者だよ。
なにかして欲しいと頼むこともできない。

なにか羽織らないの?
今日は本当に寒いね!

あなたが前にどこに行ったか、彼は話した?
あなたはこのためにそれを手に入れるでしょう。

全部戻して!
早くここに来て!

空気が足りない感じがする。
二日間もそう感じている。

ヴォロージャ、それは君のじゃないよ!
そこになにを忘れたの?

これを彼らに持っていって。
彼らから5ルーブル受け取るのを忘れないでね。

僕の肩がどうなってるか見て。
この二日間、本当に痛いんだ。

ゲーナを見かけた?
朝出かけて、どこにいるか分からないんだ。

それを隅に持っていって乾かして。
ほら、水が滴っているでしょう。

彼らのどこが違うと思う?
僕には違いは分からない。

僕ならこんなに重いテーブルは買わないな。
3階まで運ぶのが大変でしょう。

右の角まで行ったらね……
標識のある黄色い家が見えるよ。

私は耳が遠いわけじゃない。
そんなに大きく話さないで!

この詩の冒頭を覚えている?
夢みる春の静けさと動き……

あなたとは話さない!
私に近寄らないで!

髪をとかして身だしなみを整えて。
あなたの持っている別のブラウスを着て。

私が話したことを忘れたの?
なぜ私が言ったことをいつも忘れるの?

それを私に渡して。少しも重くないから。
私が家に持ち帰りましょう。

また悪い成績をとったのね。
これはいつまで続くのかしら!

食事の後、お鍋を洗った?
何度言わなくちゃいけないの?

3号室のヴィクトルを見かけましたか?
彼は帰宅していますか?

彼はもう私を覚えていない。
彼に私のことを思い出させないで。

どこに行くのですか? ほら、このボートは満杯です。
次のに乗ってください。

10 альбомов. Лабиринт

10のアルバム　迷宮
10 Albums. Labyrinth

1990/2021

カバコフはソ連の文化統制下で非公認芸術家として、発表のあてのない「自分のため」の作品を制作していた。1970-74年にかけて制作されたこのアルバムもそのひとつで、10人の夢想家を主人公とする物語と絵で構成されている。当時、カバコフはアトリエなどで友人たちのために本作を朗読しながら紙芝居のようにして披露していたが、まつだい「農舞台」では、オリジナルをもとに1994-96年に制作したオフセットを迷宮のような台座の上に屏風状に並べることで、物語の時間の流れやリズムを味わう仕掛けになっている。つらい日常から離れて空で生きることを夢みる男、入院して窓の外を眺めつづけ、天に旅立っていく男、平穏を求めてクローゼットに閉じこもって生活し、誰も気づかないうちに姿を消していた男、会議中に資料の余白に絵を描くうちに、真っ白な紙があっても端にしか絵を描けなくなった男など、風変わりな登場人物をめぐる幻想的な物語が展開される。

Вокноглядящий
Архипов.
Архипов.
Окно.

...То стараются подняться как можно выше и улететь так
далеко„чтобы"их совсем„не было видно."

20

飛び立ったコマロフ 1970-74
Flying Komarov (10 Albums)

Но больше всего все „летающие“ любят, как они это называют, „исчезнуть“.
Некоторые „становятся“ больше в размерах и одновременно „бесплотнее“.

21

飛び立ったコマロフ 1970-74
Flying Komarov (10 Albums)

Album 1
クローゼットにこもるプリマコフ
Sitting-in-the-Closet Primakov

彼は語る：

子どものころ、僕はクローゼットに半年間こもっていた。そこでは誰も僕の邪魔をしなかったし、板を通じて聞こえてくる音で、部屋のなかでなにが起こっているか想像することができた。

僕はそこに座って、自分がクローゼットから出て、街の上空、地球の上方に昇っていって、空に消えてしまう光景を想像した。

クローゼットのなかにあまりに長いあいだ座っていたので、扉を開けた時、まばゆい光のせいでなにも見えなかった。

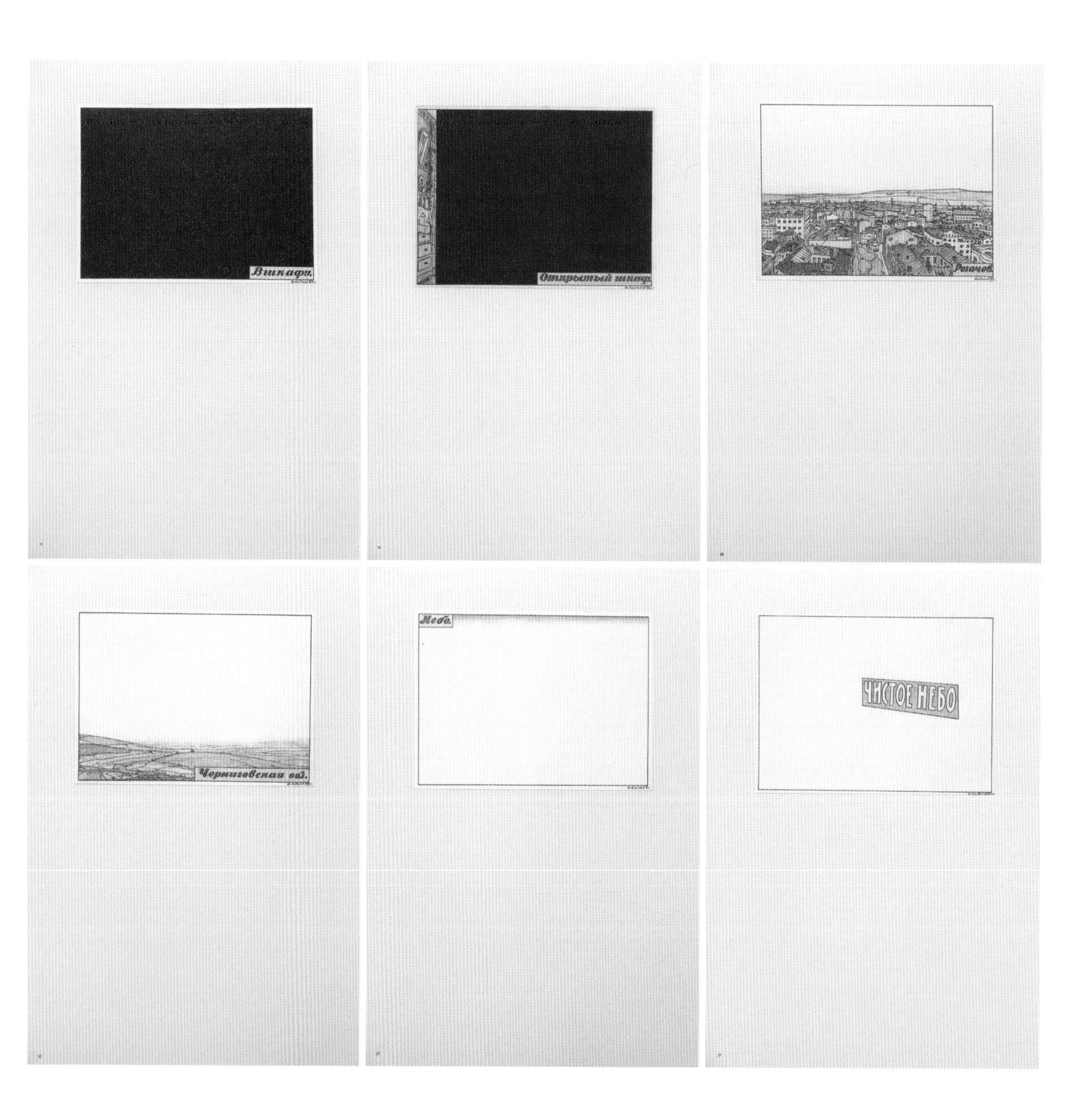

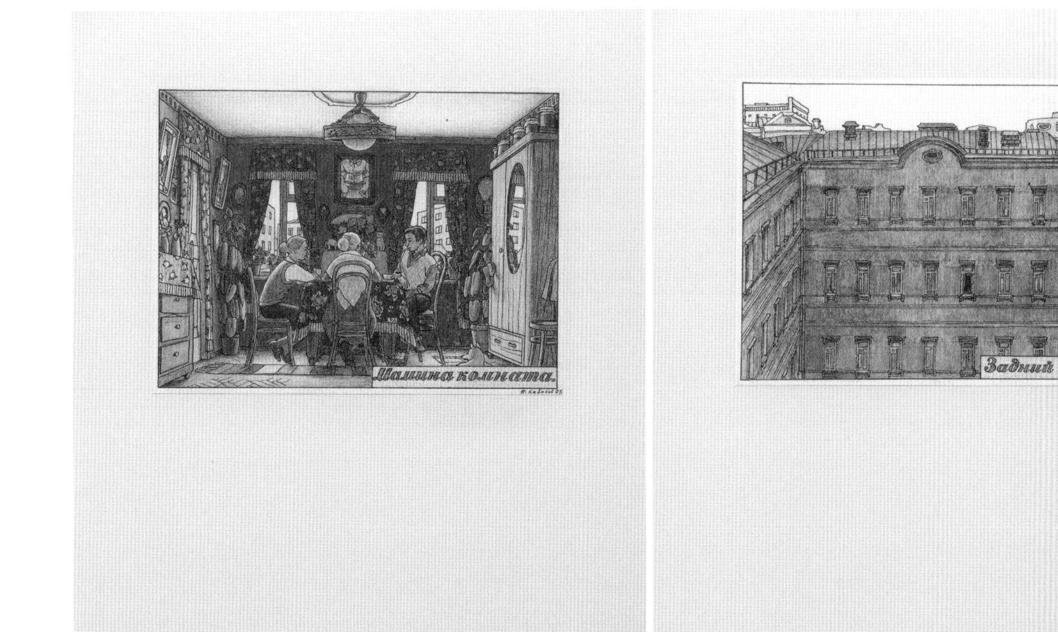

17

18

プリマコフ：
クローゼット。
……窓のそばにテーブルがあり、向かいには「クルミ材風」の板で仕上げた大きなクローゼットがあった……

V.カヴェーリン『二人のキャプテン』

プリマコワのコメント：
彼はとても幼いころからクローゼットに入り込んで、そこに隠れるようになりました。自分のおもちゃも全部クローゼットに運び込みました。古い枕やジャケットで寝台のようなものまでつくって……

グリャジナのコメント：
ある日、私が彼らの家に行って、腰かけたら、誰かが私の背後で、突然ひどく唸りだし、吠えはじめたんです。すっかり怖くなってしまって、すぐにでもおいとましたかったんですけど、マリヤ・ニコラエヴナが、あれは息子がふざけているだけだって言うのよ。でもやっぱり帰ることにして、その後は彼らの家にはほとんど行かなくなりました。

プリマコワのコメント：
彼はもう少し大きくなると、クローゼットのなかにいる時間がどんどん長くなり、鍵をかけて閉じこもるようになりました。私たちが力ずくで開けると、彼は一番遠い隅に身をひそめて、身悶えしたり泣いたりするので、私と父は彼をそっとしておくようになりました。

グリャジナのコメント：
彼らのお姑さんのアンナ・ゲルマーノヴナが言うには、彼はクローゼットから全然出てこなくなって、食事も近くの椅子の上に置いておくと、クローゼットのなかに持っていってそこで食べているんですって。

プリマコワのコメント：
去年、五月の終わりに、彼は三日も扉を開けず、物音もしてこないし、私たちがなにを言っても反応がなかったんです。
それで私と父は扉を壊すことにしました。でも、壊してみると、なかには誰もいなかったんです……

コーガンのコメント：
おそらく、彼はクローゼットのなかにいた時、突然、恐怖に襲われて、心を落ち着かせるために、「僕はクローゼットのなかにいる、クローゼットのなかにいる！」とくりかえし独り言を言ったのだろう。
こうして、「名付け」は彼にとって救いになり、重要になっていった。
彼は無意識のうちに唯名論者となり、もちろん、彼がクローゼットから眺める時も、彼は物体のかわりに言葉を見ているのだ。

ルーニナのコメント：
閉じこもって、すっかり闇に包まれた魂だけが、陽光あふれる彼方やはてしのない地平線を、あれほどの力で夢みることができる……　魂はすべるように昇っていき、青い空に消えていく……

Album 2
道化師ゴロホフ
The Joker Gorokhov

彼は語る：
私の両親もそのまた両親も、革命前は道化やピエロをしていた。おばはタガンログで、祖父はチフリスで道化をしていたし、父はキエフでピエロや喜劇役者をしていた。
わが家には彼らが残したたくさんの奇妙な物語や冗談があって、私はそれを丹念に集めてとってある。
なかには今でも笑えそうなものがある。

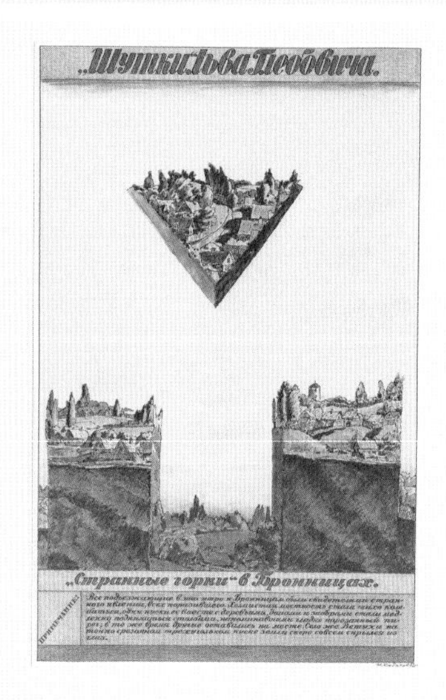

Album 3
気前のいいバルミン
Generous Barmin

彼は語る：
1976年に私は市の保健課で働いていて、就職斡旋や生活保護のリストをつくっていました。私のところにはたくさんの人がやってきて、私は彼らの名前と職業を登録していきました。みんな自分は第一級の専門家だと自称していましたよ。
ある夜、私は家に帰り、大勢の人が来て自分を売りこんでいくのにうんざりして、自分なりのリストをつくろうと思い立ちました。そしてこう思ったんです。彼らは自分に都合の良いように名乗っていったから、今度は私が自分の好きなように彼らを呼ぶことにしようって。この計画にすっかり夢中になり、自分が専制君主になった気分がしました。気前よく、でも私の思いどおりに気まぐれに、他人に性格を与える君主に。そのあと、彼らを生んだ両親も考えだしましたよ。この仕事をしていると気持ちがすっかり高揚するのを感じました。でもそれはやがてひどい頭痛で中断されたんです……

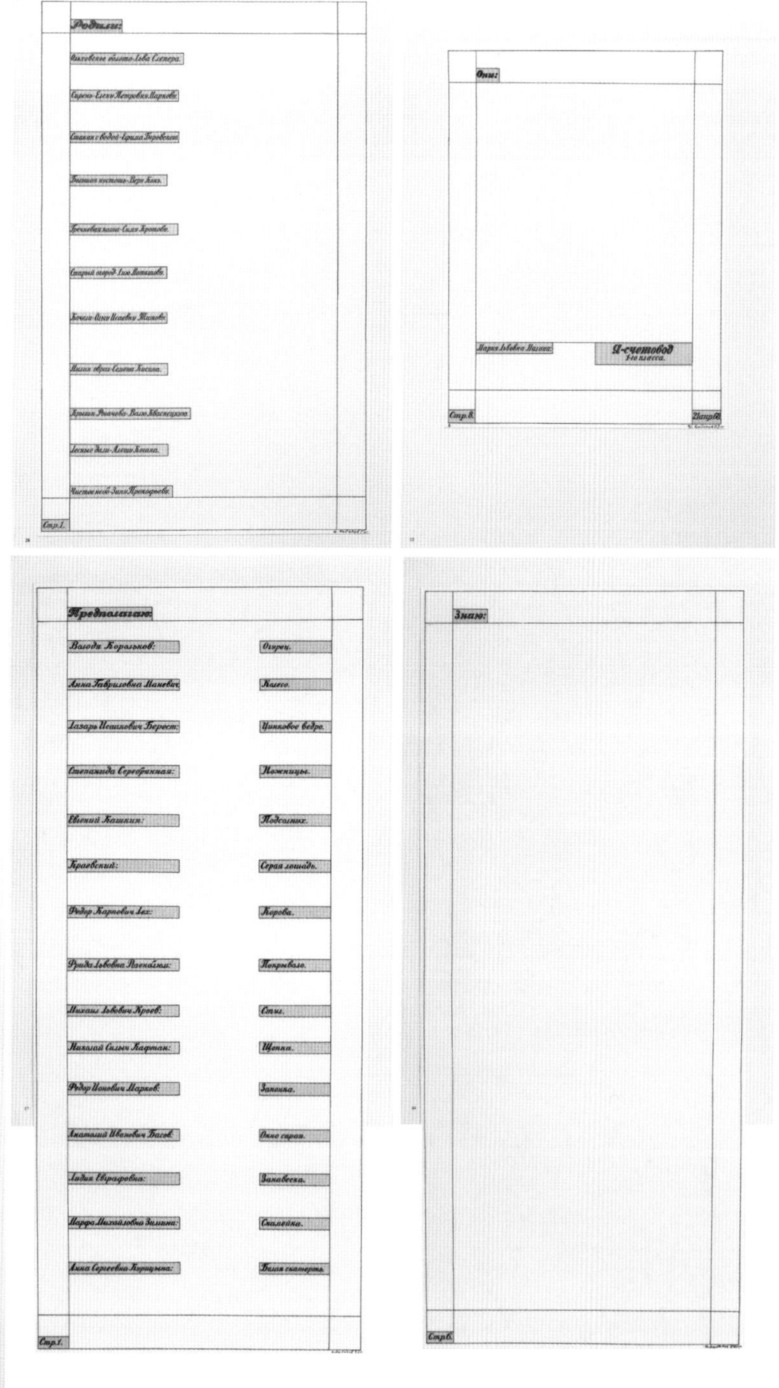

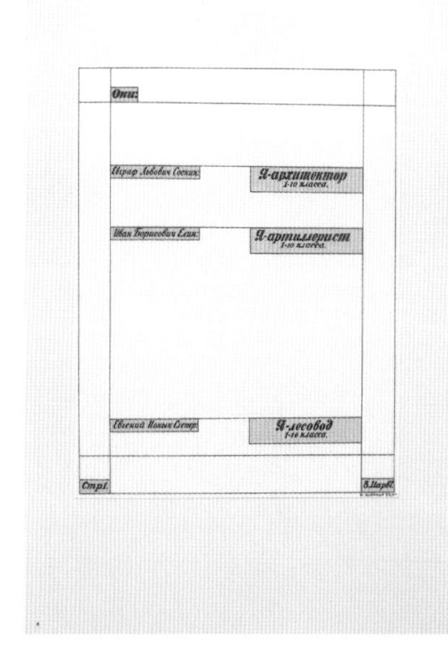

Album 4
苦しむスリコフ
Agonizing Surikov

彼は語る：
人生のなかで僕をとりまくものを見分けようとすると、結果はいつも、割れ目のような小さな断片で、そのほかのものはすべて厚いとばりで僕から隠されていた。この狭い隙間を広げようとどんなにがんばっても、とばりはどうしても消えなかった。
このたえまない苦しい努力のせいで、何度か幻覚を見たことがあり、すっかり怯えてしまった。それで僕は名医と評判の眼科医ゴドレフスキーのところに行くことにした……

Album 5
アンナ・ペトローヴナは夢を見る
Anna Petrovna Has a Dream

彼女は語る：

私の一番身近な人がいなくなってから、もう2か月が過ぎました。

彼女はいないと分かっているのに、いつも、彼女がそばにいて、彼女に語りかけ、彼女も私に答えているという気がしてなりません……

昨日はとてもおかしな夢をみました。オリガ・マールコヴナが……

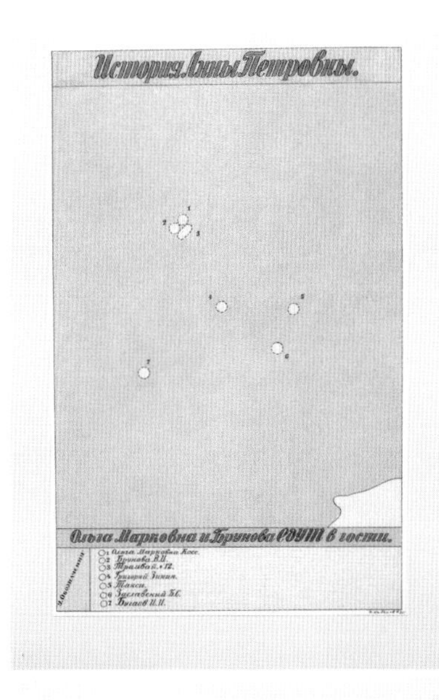

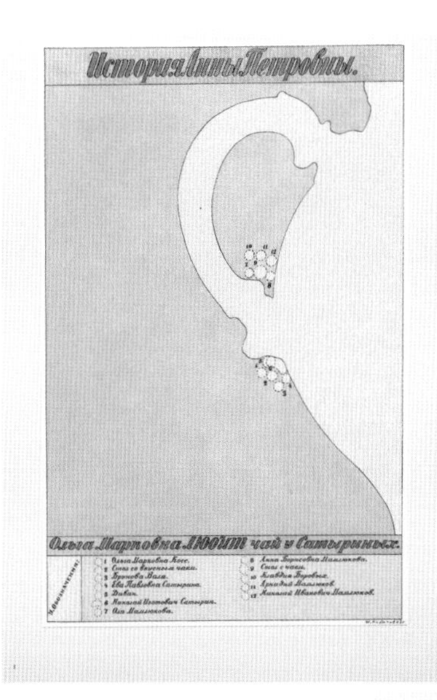

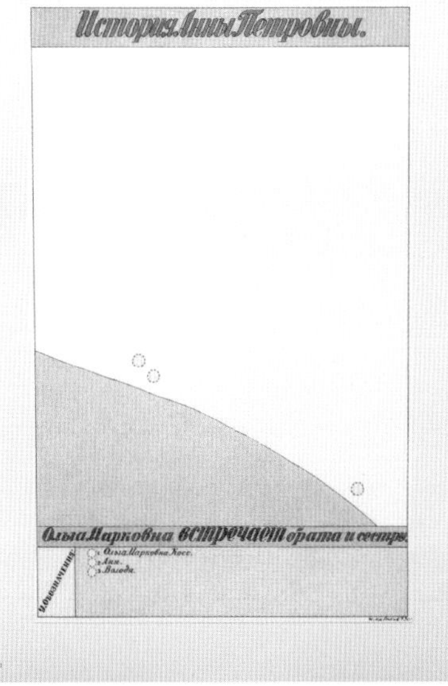

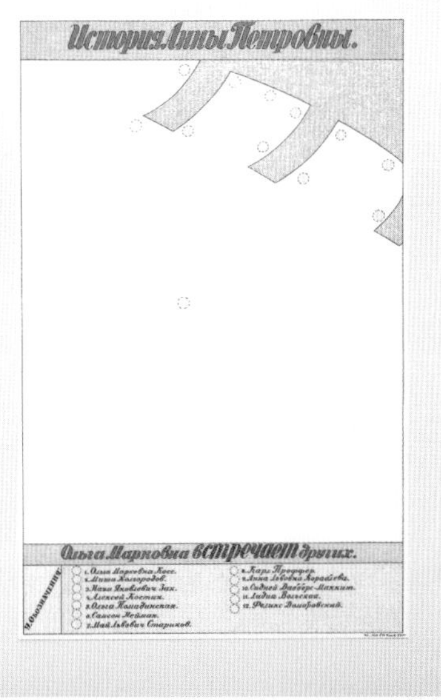

Album 6
飛び立ったコマロフ
The Flying Komarov

彼は語る：
でも今となっては、僕たちが会うことは、苦しい悪夢のようだ……
夜遅くまで僕たちは、見えない目で見つめあい、非難で苦しめあい、
はてしない攻撃の応酬で取り乱し、涙は叫びに変わった……
今日も他の日々と同じだったが、なぜかとくに絶望的で耐え難かった。
完全に錯乱してしまわないために、僕は立ち上がってバルコニーの
ドアを開け、外に出た。すると、僕のまわりでたくさんの人が灰色に
暮れかかった空に浮かんでいるのが見えた……

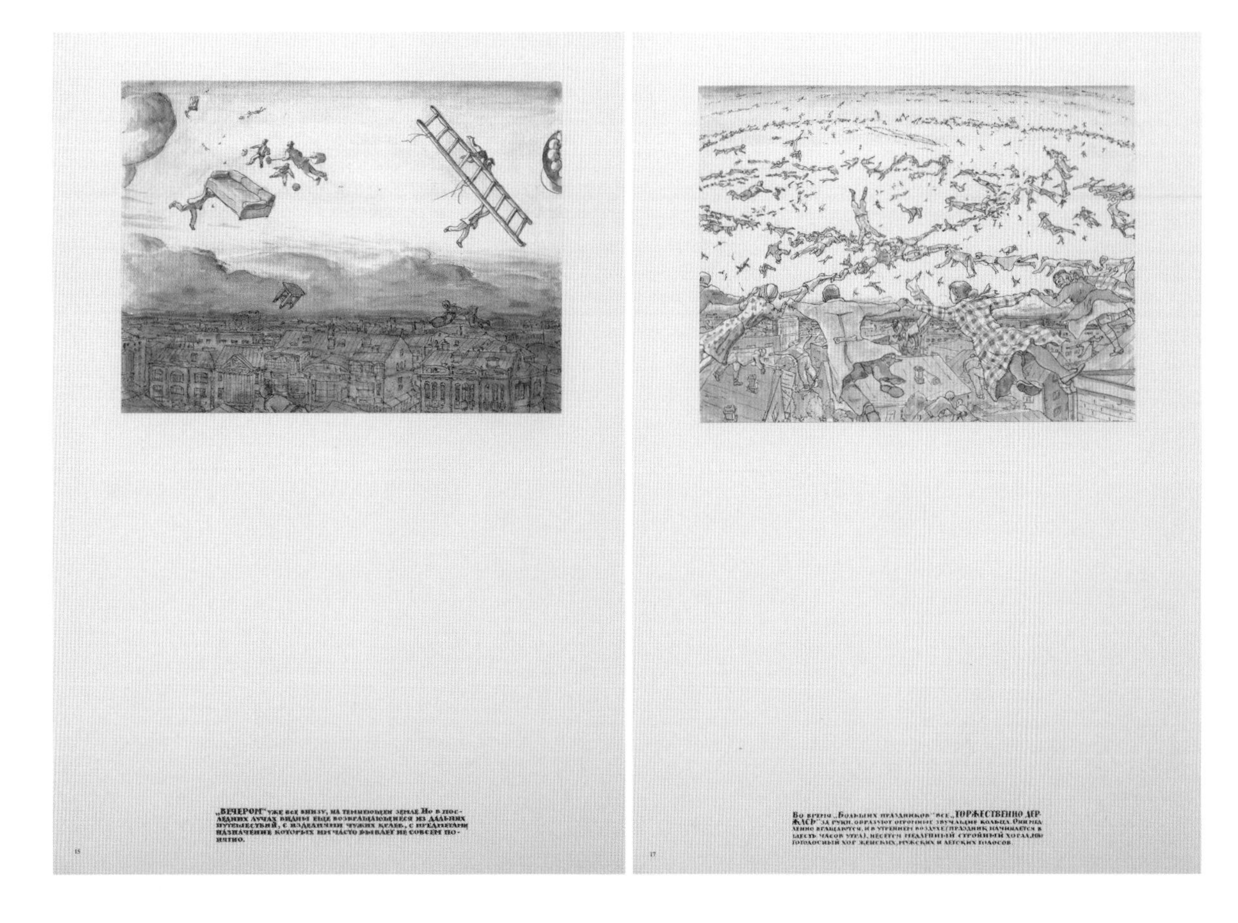

「朝早く」、街の上空に、最初の「飛ぶ人たち」が現れる。でも彼らは「用事」があるわけではない。空気は新鮮で透明、あたりは静かだ……

近くを飛んでいる飛行機の翼を「冗談めかして」つかむ人々もいる。

あるいは「何羽かの鳥を集めて」つなぎ、熱い太陽に顔を向けて、澄んだ涼しい空中を疾走する人々もいる……

「海の上に浮かんで」、透明な水中でゆったりと泳ぐ魚の群れを見つけ、鮭、鮪、カジキ、陽の光を浴びてほんのりバラ色に見える太ったオオバンをつかまえる人々もいる。

微笑みながら「お客様を家にお迎えする」光景を演じる人々もいる。家具を集め、お茶をいれ、「お客さんたち」はおじぎをして帽子掛に帽子を掛け、下界でいつもしているのと同じことをすべて再現する。

「日曜日ごとに」空中はとりわけ人出が多くなって混雑し、思い思いの方向へ「飛んでいく人々」、郊外へ急ぐ人、ただおしゃべりしている人、そしてたくさんの紙袋、プレゼント、商品などのせいで気ぜわしいほどだ。

「盛大な祝日」には、皆が「おごそかに手をつなぎ」、鳴り響く大きな輪をつくる。彼らはゆっくりと回転し、朝の空気のなか(祝日は朝6時にはじまる)、ゆるやかで調和に満ちた賛美歌が、女声、男声、子どもたちの混声合唱が流れてくる。

でも、すべての「飛ぶ人たち」がなによりも好きなのは、彼らの表現で言えば「消える」ことである。体が「大きくなって」、それと同時に「おぼろげに」なっていく人々もいる……

マカレンコのコメント：
もう空が明るんできそうな時分だった。突然、私と交代勤務で働いている同僚が、私に叫んだ。「上を見ろ！」　私は見上げた。誰かが高いバルコニーの手すりの上に立ち、両手を振り回しはじめ、飛び降りたのが見えた。

シェフネルのコメント：
私が思うに、彼は、地上を舞いながら下界の生者の行いを分身のように真似している死者たちの魂を見たのだ。死者たちは大地と結びついていて、そこから離れることができず、それを夢みている……　彼はそれを耳にしたのだ。「消えるのが好き……」と。

ルーニナのコメント：
私は、彼のヴィジョンのなかに、私たちが永遠に失ってしまった天国の光景を見出しました……
平穏と喜びが君臨し、すべてが永遠の至福に包まれている幸せな世界……
そこでは人々は手をたずさえ、陽の光に満ちた緑の自然のなかで暮らしている……

Album 7

数学的なゴルスキー
Mathematical Gorsky

彼は語る：

スチレーマ46

1. 第2列、第3列が発生しうるのは、“最初の”第1列に特殊な（シグヴェールな）誤りが生じる場合である。
2. “最初の”列の上の場は列自体の長さに比例し、場において第2、第3、あるいはそれ以上の列が生じる潜在的可能性があるため、列の延長にともなって、場も増大（拡大）し、“最初の”列が無限に近づくなら、場も無限に近づく。

$$L \to \infty \text{ ならば } S \to \infty$$

ここでは“最初の”列が、5、7、10、11、15の要素から構成される8例を検討する。

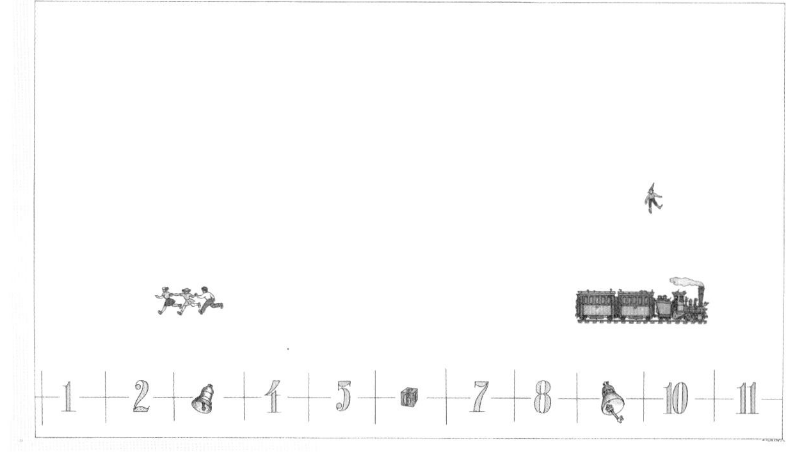

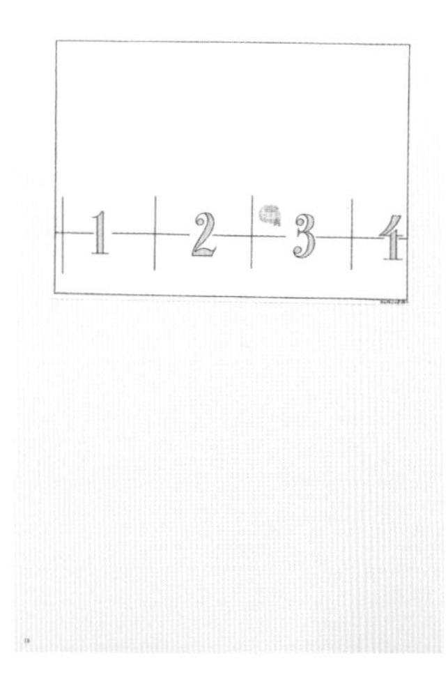

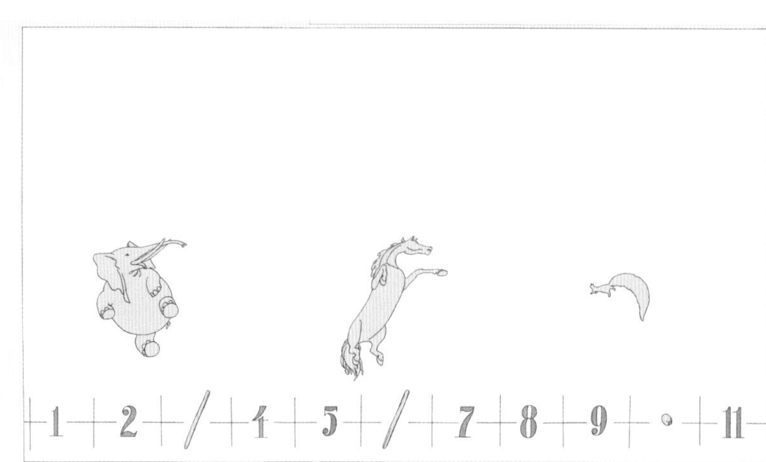

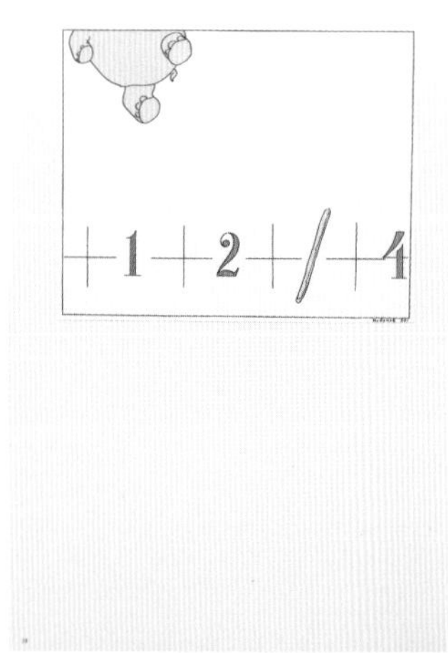

Album 8
解き放たれたガヴリーロフ
The Released Gavrilov

彼は語る：
私がこんな田舎にひきこもったのは、都会のひどい生活から離れて落ち着くためだった。
……今では、毎日、日がな川辺に座って、釣り竿の浮きを眺めたり、スゲや林が生い茂る対岸を眺めたりしている。あたりはすっかり緑の陽光に照らされている。川面をトンボたちが飛んでいる。鳴り響くような完全な静寂のなかで、下宿のおかみさんや老いたチーシャおじさんの声が時折聞こえてくる。
私はだんだん眠気にとらわれる。すべてが非現実的で夢うつつになっていく。どこからか声が聞こえてくるが、誰の声か分からない。突然自分の声が聞こえてくる。なぜだろう、詩を朗読している……

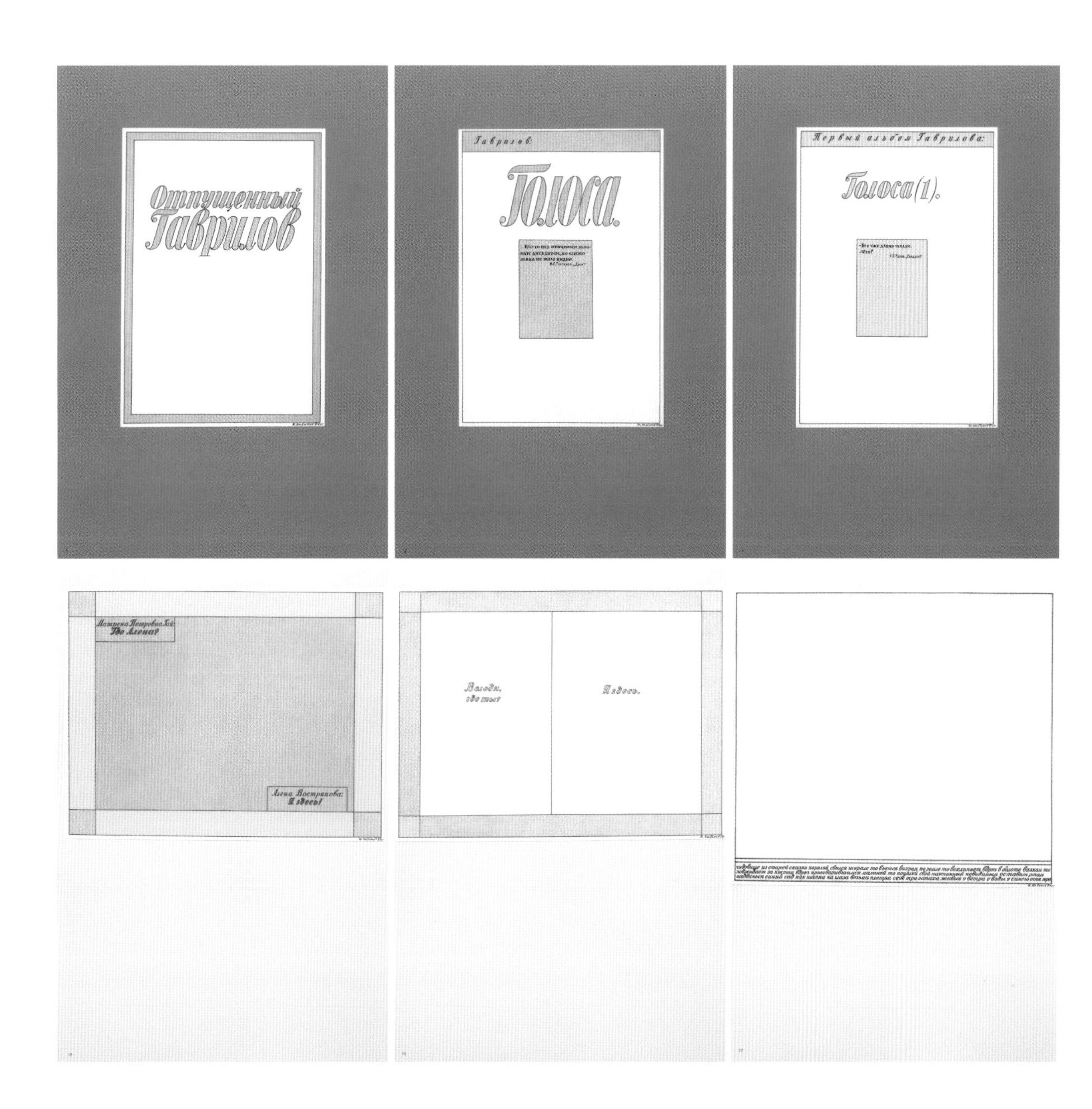

Album 9
装飾家マルィギン
The Decorator Maligin

彼は語る：

……年金生活者になるまで私は省の監査委員会で働いていて、しばしば出張に行きました。会議や、時には幹部会に出席しましたが、5時間ほども続き、話は長いし、眠くなるしで、居眠りしないように会議の資料全部に鉛筆で落書きをしたこともありました。当時の上司のソコロフは私に「おやまあ、ニコライ・アレクセエヴィチ、書類を台無しにしているのかい？　白紙を使ったらいいのに！」と言いました。でも、書類の余白に描くことにもう慣れてしまっていたので、白紙を前にしても端や隅にはうまく描けるのですが、真ん中にはなにも描くことができません。ある時、描いたものを全部整理して、ほとんど捨ててしまいましたが、残りは順番に並べておきました。

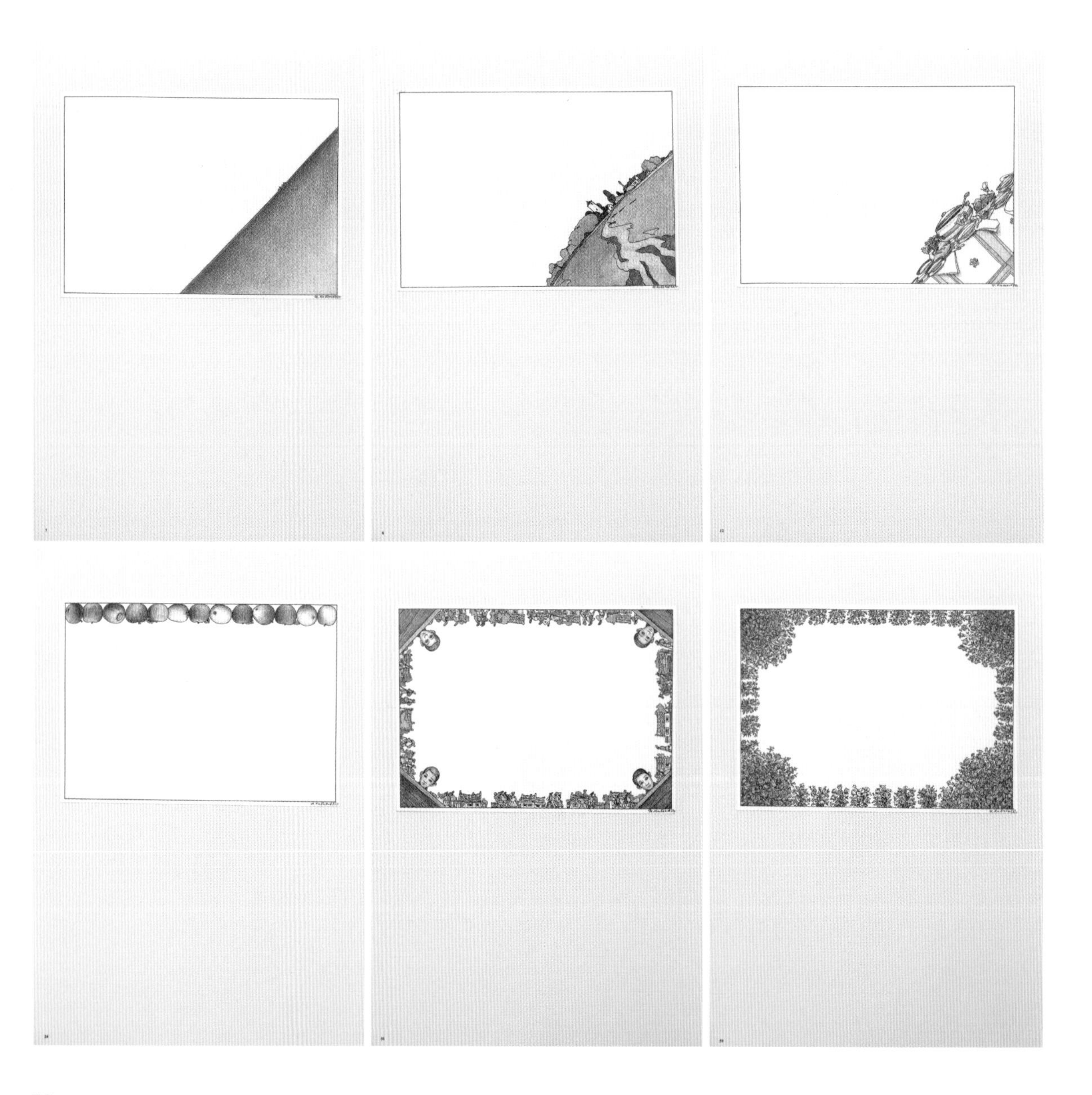

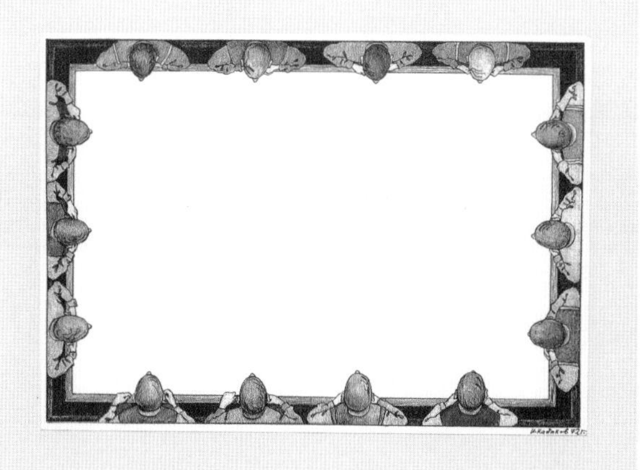

37

57

マルィギナのコメント：
彼は若かったころ、ハンサムですらっとしていて、でもとても内気で恥ずかしがり屋でした……
私たちは隅っこで知りあいました。専門学校でダンスパーティーが開かれた時のことです。皆とっくに踊っているのに、私たちだけが一晩中、壁ぎわに立っていました。パーティーはもう終わろうとしています。私は彼に言いました。「なぜあなたは踊らないんですか？　踊れないのかしら？」　彼は答えました。「いいえ、踊れるのですが、真ん中に出ていくのが恐いんです。」私は彼に言いました。「私もよ。」
こうして私たちは知りあったのです……

カルポフのコメント：
……私たちはまだ子どもだった時期から、才能にあふれ、熱意があって、何事にも喜んで取り組みました。スポーツや写真に挑戦し、独学で英語も勉強しました。
そしてエンジン制作を学ぶ技術学校に入学しました……
……でも、今でも、彼と交わしたある会話を思い出すのです。彼は当時、私にこう語りました。「ねえ、僕は、なんでもできるし、いろんな能力があると思うけれど、あれやこれやの物事の目的がどうしても理解できないんだ。ひょっとしたら、あとで僕にもわかるのかなあ？」

マルィギナのコメント：
彼はずっとプランナーとして働いていましたが、私は彼の勤めている課に行くのがなぜか好きではありませんでした。
自宅では彼はいきいきして陽気で、なにか話してくれたりするのですが、職場では本当に物静かで、おどおどして、いつもどこか忙しげな様子でした……
でも彼はカルポフと一緒に勉強したんですよ。

マルィギナのコメント：
彼は、上司たちをひどく恐れていました。上司たちと出張に行ったり、多くの時間を共に過ごしていたのに。
それに彼らは悪い人たちではありませんでした。
私は彼に尋ねました。「どうしてそうなの？　なにが恐いの？」　彼は私に説明しました。「子どもの時、校長先生がとても厳しかったんだよ。」
私は言いました。「それなら、なぜカルポフは恐がらないの？　彼も同じ校長先生のもとにいたのに。」
「カルポフは当時、もう、自分自身が長になるって感じていたのさ。」

シェフネルのコメント：
神学の視点からいえば、彼の絵は、宇宙のヒエラルキーを申し分なく反映したものです。人間は、中央や中心を占めていないだけでなく、中央のそばにいることさえできません。
人間は、「この」世界全体がそうであるように、周辺、「端」を占めています。
中心は人間のものではないのです。

ルーニナのコメント：
彼は自分の奥さんをとても愛していたと思うわ……

Album 10
窓の外を眺めるアルヒーポフ
The Looking-Out-The Window Arkhipov

彼は語る：
……じきに僕はすっかり具合が悪くなって入院した。
わりあてられた病室はとても狭かったが、ベッドの向こうに病院の庭に面した大きな窓があった。
僕ははてしない衰弱を感じながら、くる日もくる日も一日中、窓の外を見ては、樹々の枝、庭を通りぬける来訪者、遠くに見える鉄道の駅を眺めた。

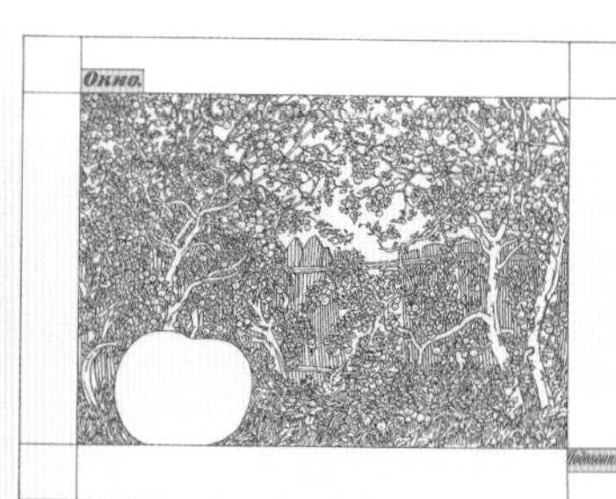

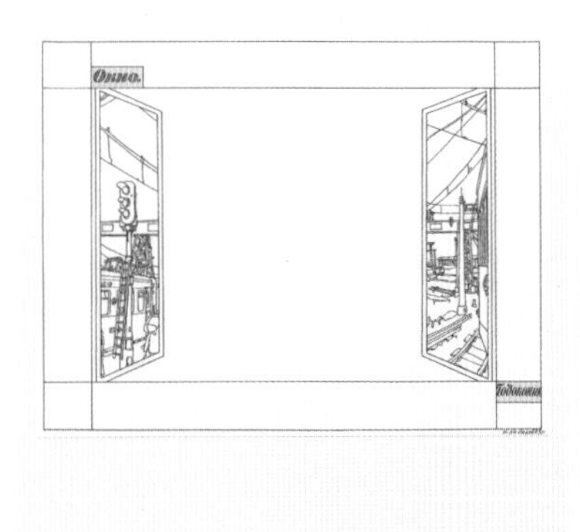

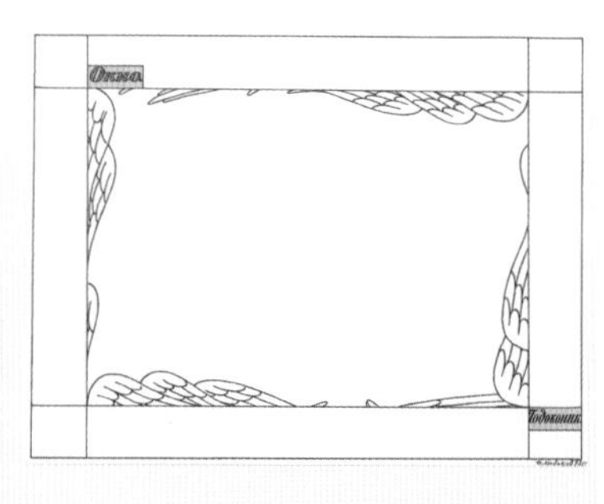

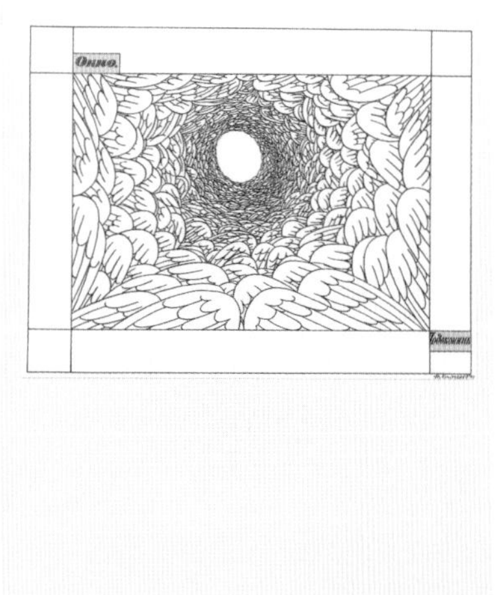

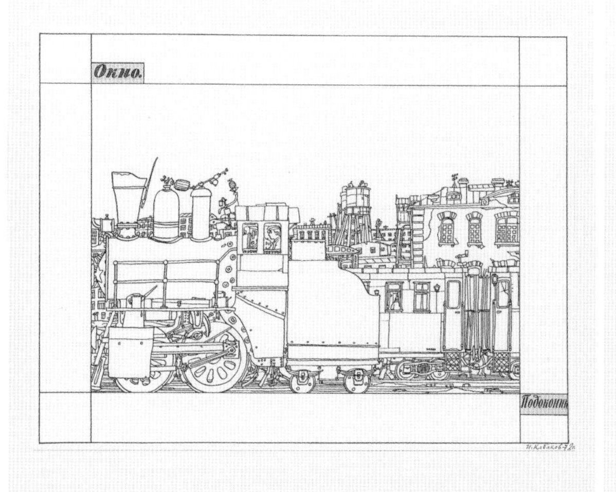

アルヒーポフ：
窓。
……窓のそばに長いはしごが掛けてあり、御者のニコライは……
A.ミハイロフ『手記』

グルホフスキーのコメント：
夏のはじめにアルヒーポフが私の診療科に来た時、予診だけで患者が重病であることがわかりました。
指示した治療では望ましい回復に至らず、医師たちの会議では、私の診断が正しく、患者を救う見込みはないだろうという結論になりました。

フォーミナのコメント：
私が彼のお見舞いに行った時、彼は元気そうで、ほがらかでした。医師たちは彼に回復に向かっていると言いました。それに彼も、家にいた時よりはるかに具合が良かったのです。
退院したら計算は自分で解くから、誰にもさせないでと言っていました。

グルホフスキーのコメント：
7月12日の早朝、容態が急変しました。患者はなかば意識を失った状態になりました。緊急治療をしましたが、午後1時頃亡くなりました。

フォーミナのコメント：
彼が死にかけていた時、私はそばに座っていました。最期の数分、彼の目は、まるで窓の外に途方もなく大事なものを見つけたような表情をしていました。

コーガンのコメント：
私は、現実の物体、たとえば機関車やりんご、鳥を、彼が窓の隅に配置していること、あたかもそれらの物をこの隅で「捉えよう」としていることに気づいた。
これは、世界を収奪しようとする奇妙な行動である。奇妙というのは、彼はこの世界のなにも変化させていないし、なにも触れていないからだ。それは「視覚的」だといえる。
それは私に子どもの遊びを思いださせる。遠くを歩いている人の下にくるように人差し指を伸ばすと、歩行者は自分では気づかぬまま、誰かの指の上を歩いているように見えるという遊びである。
これはつまり、アルヒーポフは世界と関わりを持たず、世界に参加していないということなのか。彼は、部屋のなかに立っている人がまるで窓の端にいるように見えるというような架空の状況をつくりだす宿命なのか。

シェフネルのコメント：
……両開きの窓が開かれ、窓は、彼が入っていく世界、彼をすでに待っている世界へと続く、彼のために開かれた門となる。

ルーニナのコメント：
私、窓のすみっこにいる鳥がとてもかわいそう……

Дворец Проектов

《プロジェクト宮殿》より5つのプロジェクト

5 projects from “The Palace of Projects”

1998/2021

旧ソ連に住む人々（カバコフがつくりだした架空の人物）のプロジェクトを保存する博物館として構想された作品。「この世界は、実現された計画、なかば実現された計画、まったく実現されていない計画など、実に多くの計画でできている」という考えのもとに、人間の夢や計画を人々の生きた証と捉えて、挫折、失敗した夢も含めて保存する。65のプロジェクトを収めた最初のバージョンは1998年に制作され、ドイツのエッセンで常設展示されているが、妻有では選りすぐりの5点が再制作された。高いはしごに昇って自らを危険な状況に置くことで天使に迎えに来てもらおうとする計画、性能の良いポンプで雲を地上に手繰り寄せ、給水や乾燥地帯の加湿に使う計画、明るい絵や写真を眺めることで元気になる計画、木や石、動物たちとの共通言語を見出す計画といったユートピア的なプロジェクトが、物語、ドローイング、オブジェで表現される。

他人を信じてみる 1998/2021
Trust of Others

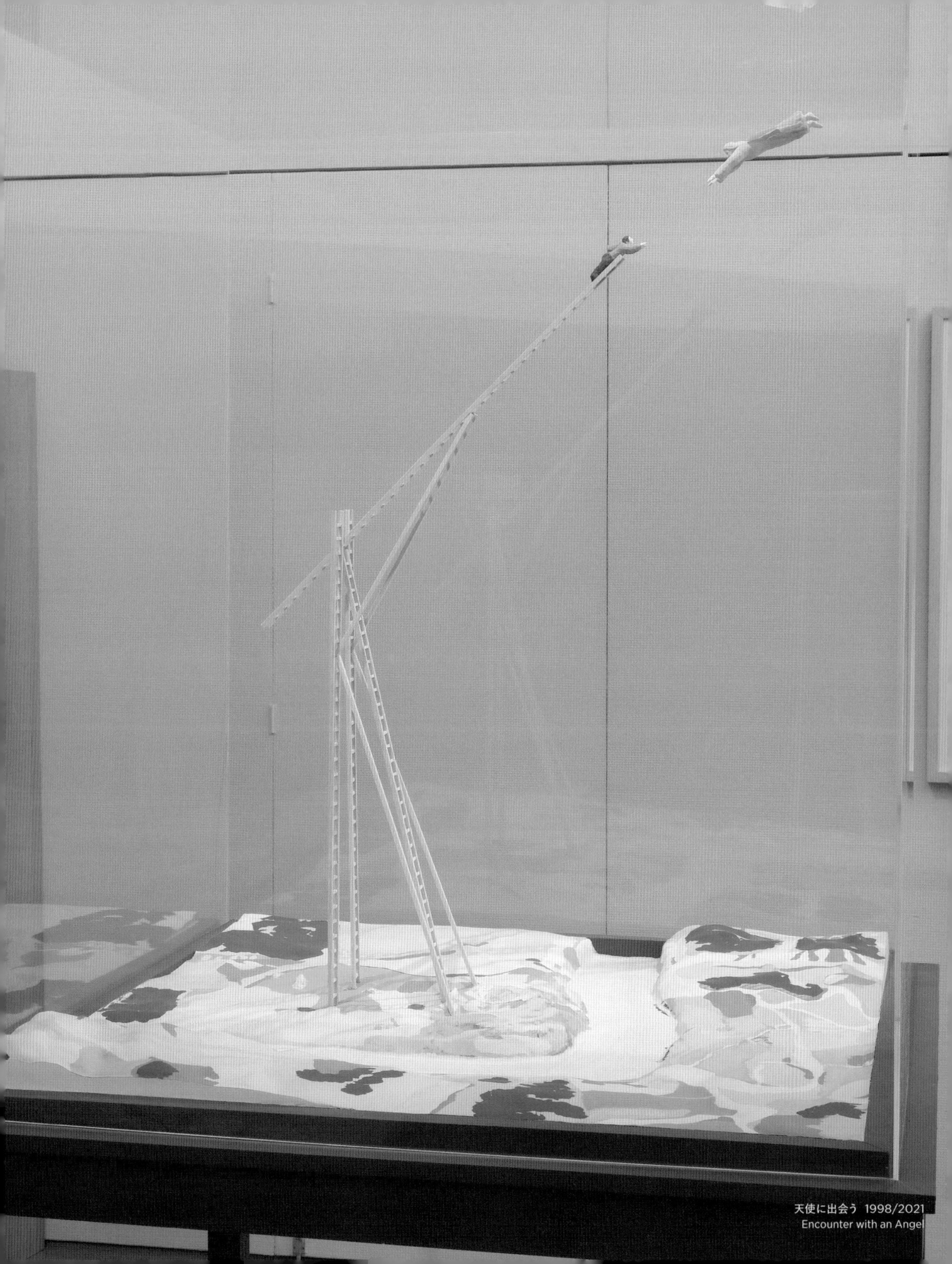

天使に出会う 1998/2021
Encounter with an Angel

Ф. Мелентьева. Бухгалтер
г. Сыктывкар.

„Доверие к другим"

Часто многим из нас свойственно недоверие к другим людям, в своих поступках и расчетах мы думаем „Как бы чего не вышло", и часто бессознательно ожидаем чего-нибудь неприятного, стараемся предупредить и предусмотреть нежелательные последствия. Но известно также, что эта разумная предусмотрительность и ожидание „подвоха" в корне подрывает наше представление о „другом", который точно такой же, как „я" и который, видя в нас подобную предосторожность, отвечает нам тем же.
Недоверие к „другому", подозрительность настолько развита в нашем обществе, что уже стала нормой и мы эту норму не воспринимаем как несчастье только потому, что она, как воздух, разлита повсюду и все мы дышим этой атмосферой.
Но это не должно быть так, следует бороться с этим распространенным и укоренившимся несчастьем. Ниже предлагаемый проект как раз и служит этим целям.
Следует спустить на веревке из окна дома, где вы живете, корзину, в которую вы на дно положите записку и деньги. В записке будет следующий текст: „Остановитесь, пожалуйста! У нас к Вам убедительная просьба: по независящим от нас причинам я не могу выйти на улицу (тяжелая болезнь). Напротив продовольственный магазин. Очень прошу взять корзину и деньги и купить хлеба, молока и 10 яиц. Привяжите корзину обратно к веревке и дерните три раза — это сигнал, чтобы корзину подняли. Сдачу возьмите себе. Спасибо заранее".
Никаких сомнений нет в том, что эта просьба будет выполнена. Найдутся люди — и таких большинство — которые правильно поймут и оценят то доверие, которое вы им оказываете и как бы они не спешили по своим делам — именно то переживание — забытое и бескорыстное доверие к другому, обыкновенная человеческая доброта — подтолкнет их к выполнению вашей просьбы. И этот их шаг вызовет ответное чувство и у вас самих. Повторное действие только укрепит его.

他人を信じてみる
Trust of Others

F. マレンチエワ、会計係、スィクティフカル市

私たちの多くは、しばしば他人を信じられない気持ちになるものですよね。用事をしたり、いろいろな心づもりをする時、私たちは無意識のうちになにかいやなことを予期したり、望ましくない状況を見越して用心し、そんなことが起こらないようにと念じます。でも、こんなふうにさかしらに予見して“策略”を待ちうける態度は、“他者”にたいする理解を根本的にそこないます。その他者は“私”とまったくおなじように、私たちの策略を警戒しながら接してくることになるでしょう。他者への不信や疑いは、私たちの社会にすっかりはびこっていて、すでにそれがふつうの状態になっています。私たちがこの現状を不幸だと感じないのは、それが空気のようにどこにでもあり、私たちは皆、その雰囲気を吸いこんでいるからです。

ですが、このような状況はよいものではないので、社会に広がり根づいてしまったこの不幸と戦わなくてはなりません。これから提案するプロジェクトは、まさにそれを目的としています。

あなたの住んでいるアパートの窓から、メモとお金を入れたかごをロープに結んで垂らしましょう。メモにはこんなふうに書いておきます。「どうぞ足をとめてください。あなたにおりいってお願いがあります。やむをえない事情で私は外出できません（重い病気なんです）。むかいに食料品店があるので、このかごとお金をもってパンと牛乳とたまご10個を買ってきてくださいませんか。それから、かごをまたロープに結んで、3度ひっぱってください。それがかごをひき上げる合図です。おつりはどうぞ取っておいてください。ありがとうございます。」

この願いはまちがいなく叶えられます。自分の用事でどんなに急いでいても、あなたが示した信頼を理解して尊重してくれる人たちが見つかります。ほとんどの人がそうしてくれるでしょう。忘れ去られていた他者への心からの信頼、ありふれた人間的な善良さにふれたために、人びとはあなたの願いを叶えようとするのです。彼らのその一歩は、あなた自身にもそれに応えようという思いを呼び起こします。この活動をくりかえせば、その思いはいっそう強まります。

他人を信じてみる——作り方

1. できればあまり明るくない色のかごを買う(60 x 36 x 36 センチ)。
2. かごにロープを結んで垂らす。第1案:展示室の壁にそって、壁のそばに(天井からロープで)垂らし、かごの底がテーブルの表面から28センチ以上離れているようにする。第2案:展示室の中央で天井からロープを垂らしてもよい。テーブルの表面までの距離は同様に28センチにし、テーブルの端からは40センチ離す。
3. かごのなかには手書きのメモを入れる。「どうぞ足をとめてください。あなたにおりいってお願いがあります。やむをえない事情で私は外出できません(重い病気なんです)。むかいに食料品店があるので、このかごとお金をもってパンと牛乳とたまご10個を買ってきてくださいませんか。それから、かごをまたロープに結んで、3度ひっぱってください。それがかごをひきあげる合図です。おつりは取っておいてください。ありがとうございます。」
4. メモの横にお金を入れる(紙幣ならカラーコピーしてもよい)。
5. ロープの太さは6ミリ。

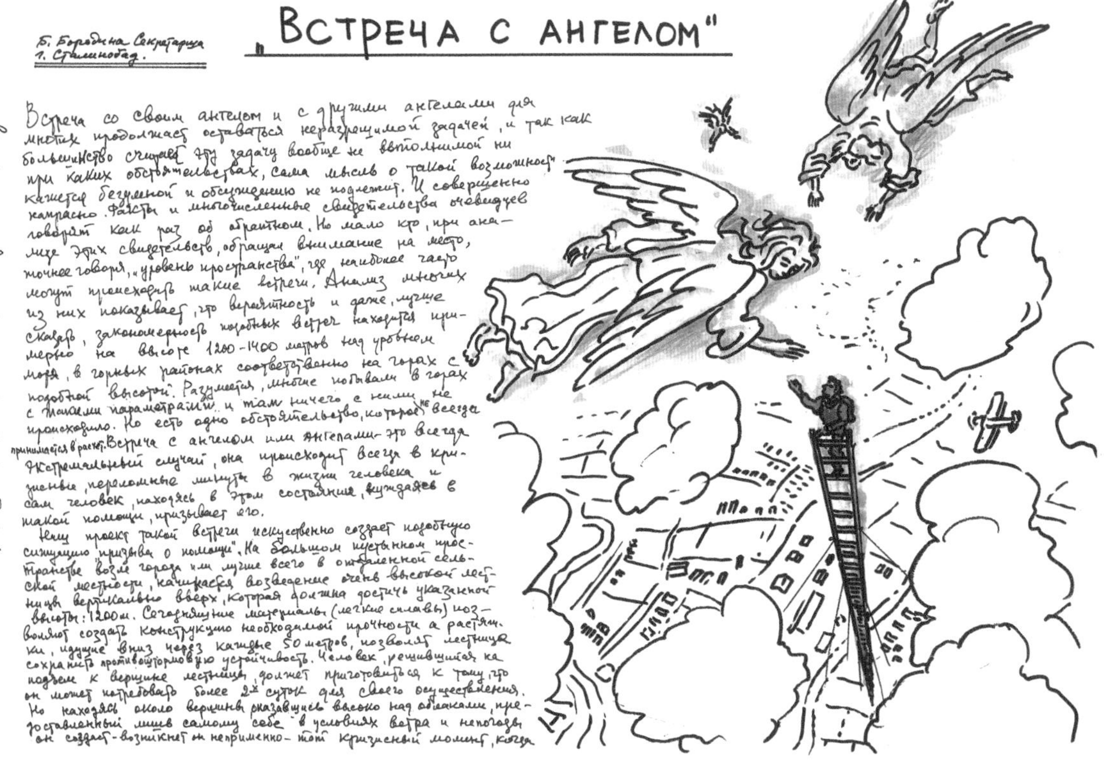

天使に出会う
Encounter with an Angel

B. ボロジナ、秘書、スタリノバート市

自分の天使やその他の天使と出会うことは、多くの人びとにとって未解決の課題です。そしてほとんどの人がこの課題はどんな状況でもそもそも解決できないと考えているので、その可能性について考えること自体が法外で話にもならない、まったく無駄なことだと思われています。ただ、もろもろの事実と目撃者たちによる多くの証言は正反対のことを物語っています。しかし、これらの証言を分析するにあたって、天使との出会いがもっとも頻繁に起こる場所（正確にいえば“空間のレベル”）に注目した人はほとんどいませんでした。多くの証言を検討してわかるのは、天使と出会えそうなのは、というよりほぼ確実に出会えるのは、およそ海抜1,200~1,400メートルの場所で、山地、この標高の山上です。もちろん、そのくらいの高さの山には登ったけれどなにも起こらなかったという人は多いでしょう。でも、忘れられがちな条件があるのです。天使（たち）との遭遇は、つねに極限の出来事なので、人間の一生のなかでは危機的な瞬間、運命の瀬戸際にしか起こらず、こうした状況に置かれた人自身が助けを求めて天使を呼びよせるのです。

私たちのプロジェクトは、この“助けを求める”状況を人工的につくりだします。郊外か、いちばんいいのは遠くの田舎で、どこか広々としたなにもない空間で、かの1,200メートルの高さに達するとても長いはしごを垂直に伸ばしていきます。現代の素材（軽合金）ならじゅうぶん耐久性のあるはしごがつくれます。それに50メートルごとに下に張って支える固定ロープがあれば、突風に耐える安定性を得られるでしょう。はしごのてっぺんまで登ることを決意したら、計画の実現には二昼夜以上かかる覚悟をしなくてはなりません。でも、雲より高く、はしごの頂上近くまで来て、強風と悪天候のなかでひとりきりになると、自分の天使に出会わずにはいられない危機的な瞬間をつくりだすというか、そういう瞬間がかならず訪れるのです。

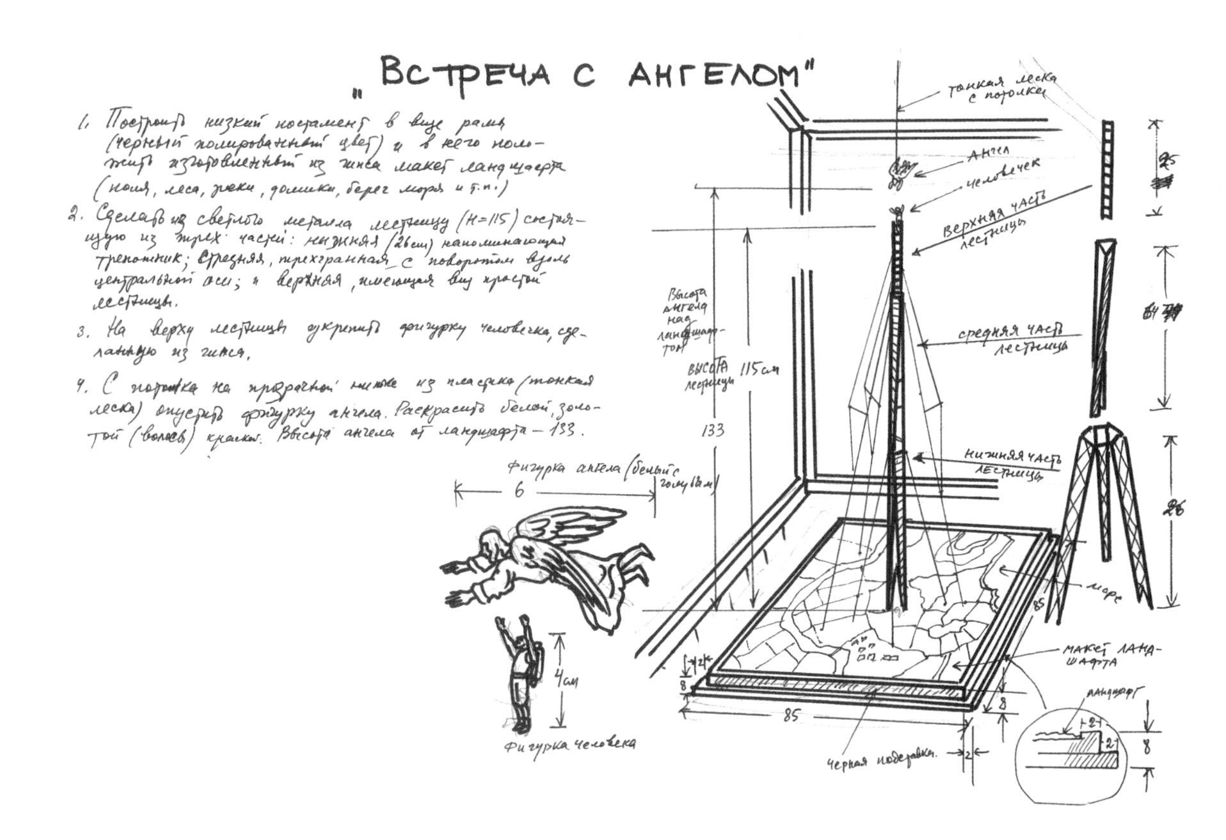

天使に出会う——作り方

1. 額の形をした低い台座（黒色で光沢がある）をつくり、そのなかに、石膏でつくった風景（野原、森、川、ほかに海岸など）の模型を置きます。

2. 明るい色の金属ではしごをつくります（高さ115センチ）。はしごは三層構造で、三脚のような下段（26センチ）、中心軸に沿ってひねった三面から成る中段、ふつうのはしごのように見える上段で構成されています。

3. はしごの頂上には、石膏でつくった人間のフィギュアを取りつけます。

4. プラスチックの透明な糸（細い釣り糸）で天井から天使のフィギュアをつるします。白と金（髪の部分）の塗料で塗ります。風景の模型から天使までの距離は133センチです。

雲をあやつる 1998/2021
Cloud Management

木や石や動物たちとの共通言語 1998/2021
A Common Language with the Trees, Rocks, Animals...

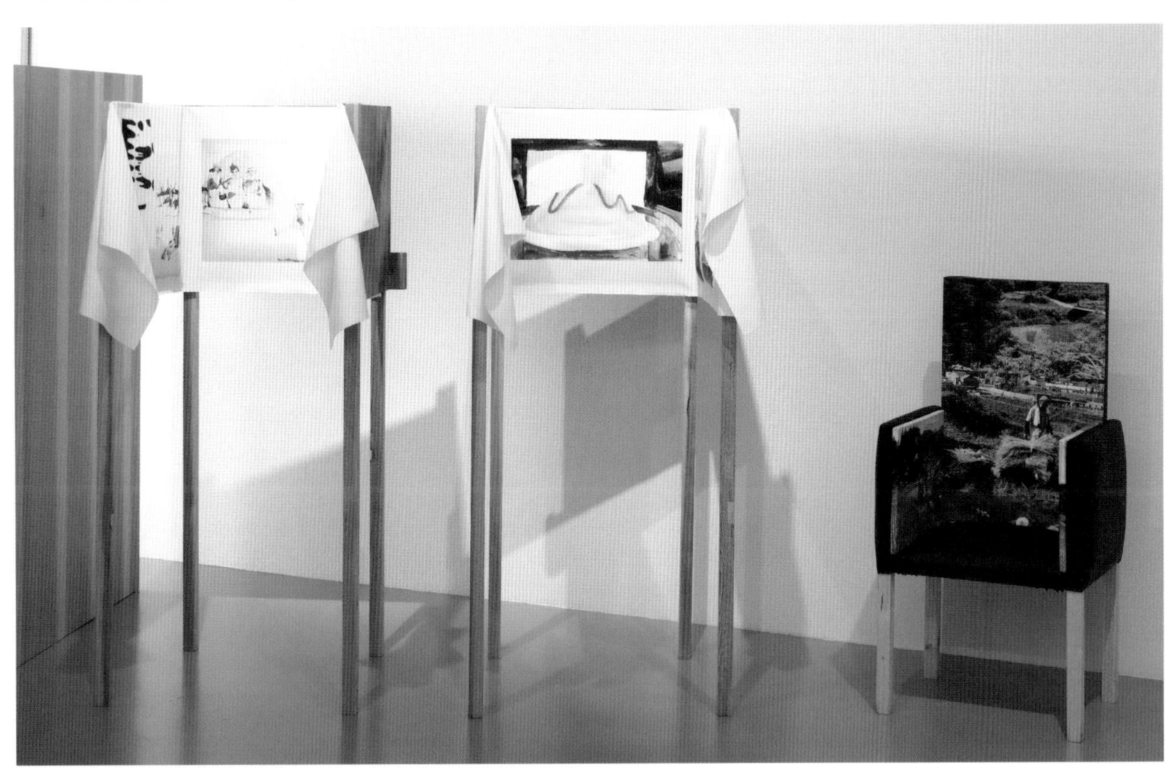

前向きな姿勢と楽天主義に照らされる 1998/2021
Irradiation with Positivity and Optimism

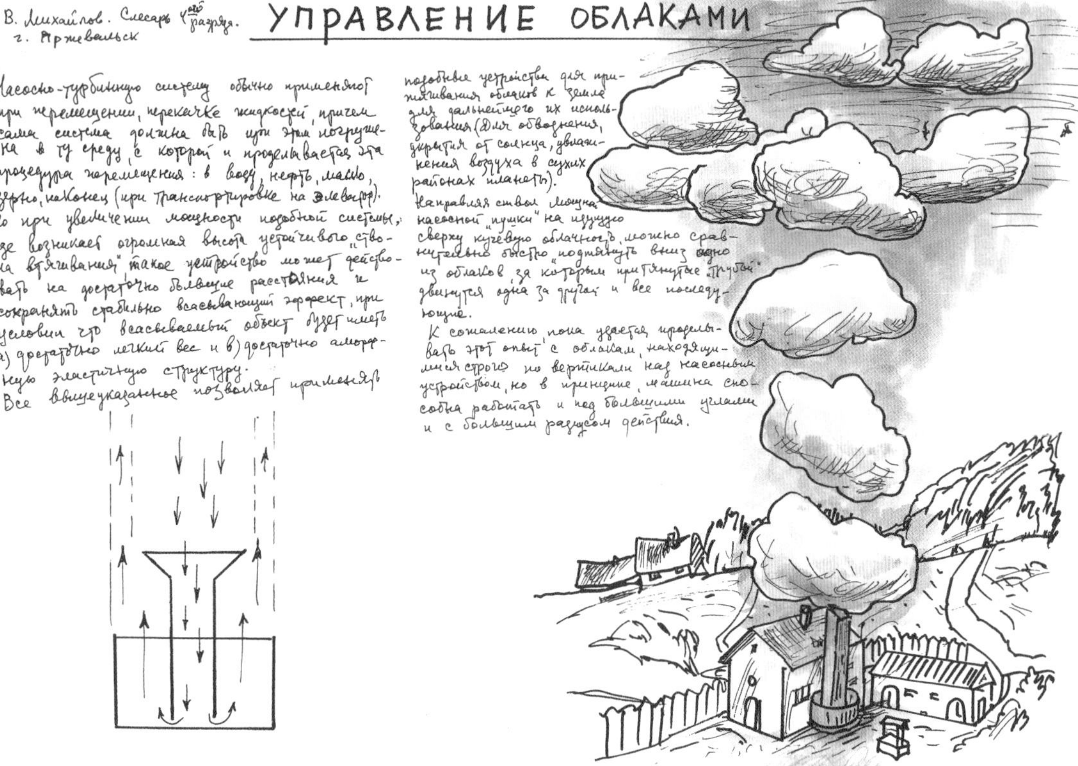

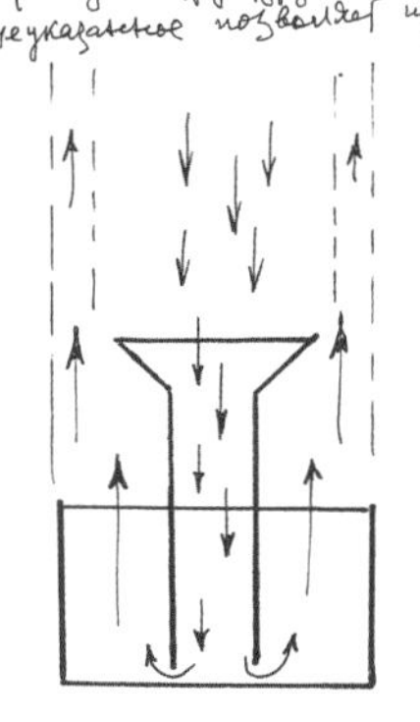

雲をあやつる
Cloud Management

V. ミハイロフ、4級組立工、プルジェヴァリスク市

ポンプやパイプといった装置はふつう、液体を運んだり汲んだりするために用いられますが、その際、運ばれる物――水、石油、オイル、穀物（穀物倉庫に運ぶ場合）――のなかに装置を沈めなくてはなりません。しかし、装置の出力を強くして“パイプ”を長く伸ばし、また、吸い込もうとする物体がじゅうぶん軽く、かなり弾性のある不定形の組成であれば、装置の吸引力ははるか遠い場所にまでおよび、安定した吸引力を保てます。

いま述べたような条件がそろえば、こうした装置によって雲を地上に運べるようになり、将来的には利用することもできるようになります（給水、遮光、地球の乾燥地域の大気の加湿など）。

強力なポンプの“砲身”を、上空を流れる積雲に向ければ、雲のひとつを比較的すみやかに下へ“ひきよせる”ことができ、それにつづいてすべての雲が次々にこの“管”にひきよせられて入ってくるでしょう。

残念ながら今のところ、この実験は、ポンプの真上にある雲でしか成功していません。しかし基本的にこの装置は広い角度で広範囲に作動するはずです。

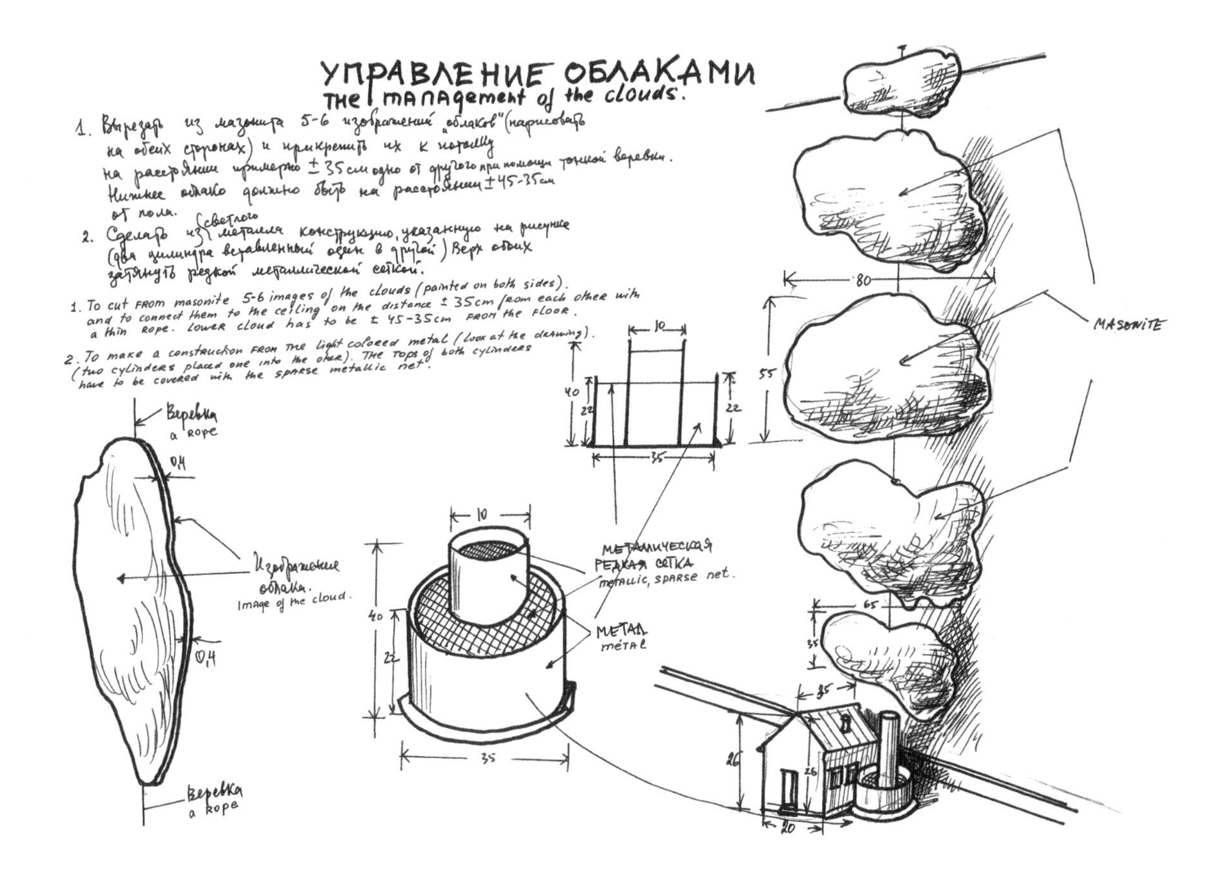

雲をあやつる——作り方

1. 木の板を切り抜いて5、6枚の“雲”をつくる（板の両側に絵をかく）。細いワイヤーを使って、雲を天井から約35センチごとにとりつける。一番下の雲は、床から35-45センチの高さにする。
2. 明るい色の金属で、図で示した構造物（ふたつのシリンダーで、片方を別のシリンダーにはめる）をつくる。どちらのシリンダーの上部にも目のあらい金属の網を張る。

木や石や動物たちとの共通言語
A Common Language with the Trees, Rocks, Animals...

N. ソーコル

ご存じのとおり、人間は自然とじかに緊密なやりとりを交わすことはできません。人間にとって、動物、昆虫、鳥や木や無機物の言語はわからないままです。それにもかかわらず、そうした共通の言語をめぐる夢は、わくわくするようなミステリーでありつづけています。大事なのは、なにか特別な“暗号”を発見することではなく、私たちもその一部であり、私たちを内包する自然界をじかに感じて、直接コンタクトをとることです。このようにコンタクトをとって分かりあうことは可能なのに、私たちの意識における人間特有の“型”がそれを妨げているのです。

自然とじかに意思をかよわせるというこのプロジェクトがめざしているのは、自然が発するシグナルを知覚する力を高めると同時に、私たちのなかの人間的な“文明”のノイズを消し去ることです。この課題を解決してくれるのが、図のなかの人形の背中についている細い針金でつくったレインコート型アンテナです。このアンテナは私たちを、いままで私たちが切り離されていた環境と一体化させてくれます。そして、あらゆる方向から届く信号、そしてなにより私たちの社会的、“文化的”な、つまり“人間的”なありかたと結びついた私たちの内部から届く、さまざまな信号の“ざわめき”と一体化させてくれるのです。

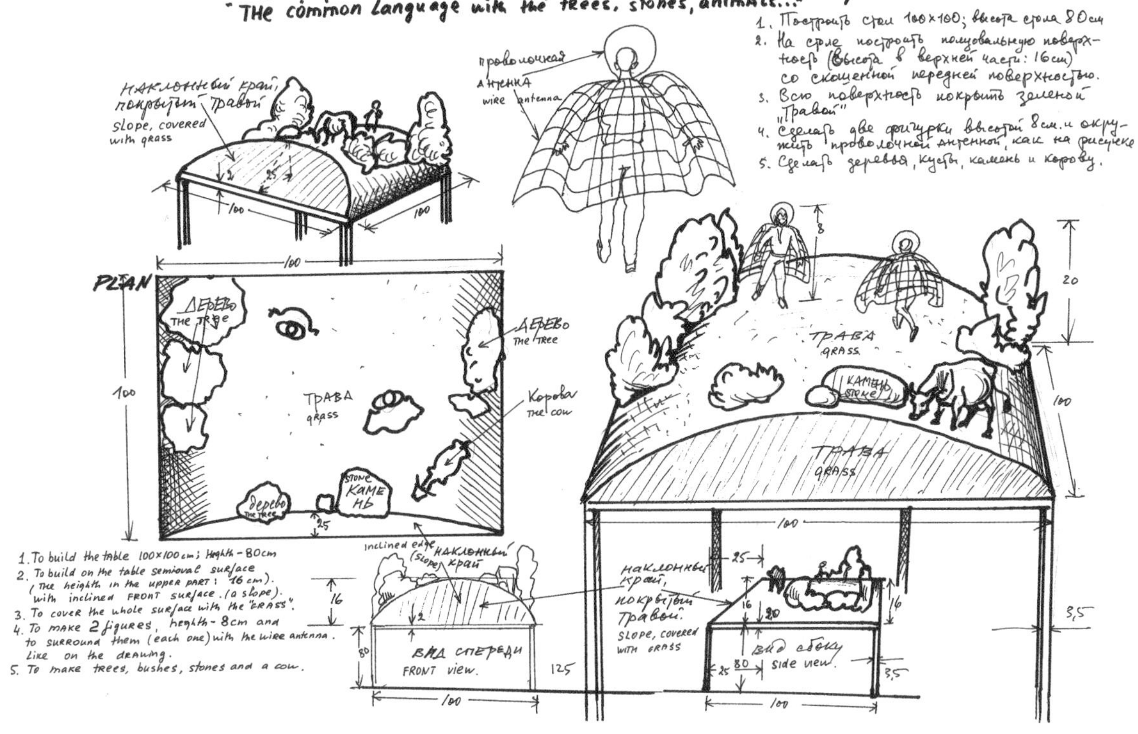

木や石や動物たちとの共通言語——作り方

1. 100 x 100センチ、高さ80センチの机をつくる。
2. 机の上に、半楕円形の土台をつくる(上部の高さは16センチ)。
3. 表面全体を緑の"草"でおおう。
4. 8センチの人形をふたつつくり、図のとおりに針金製のアンテナをかぶせる。
5. 木、茂み、石、牛をつくる。

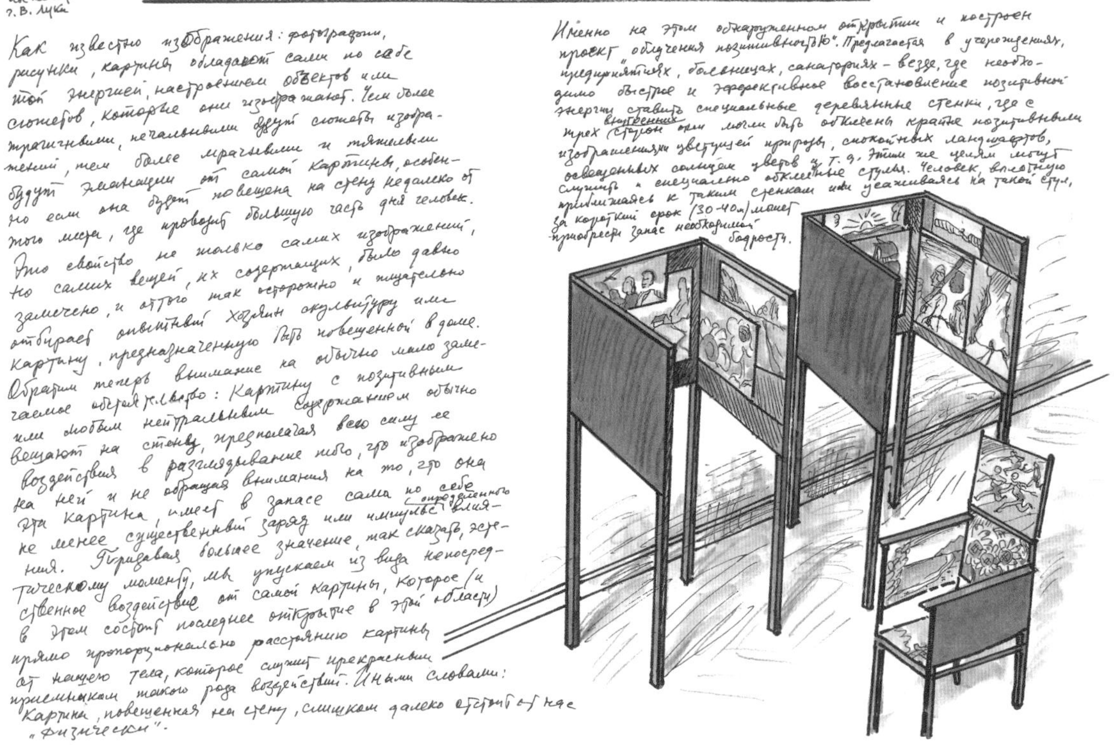

前向きな姿勢と楽天主義に照らされる
Irradiation with Positivity and Optimism

E. ミハイロワ、技師、ヴェリーキー・ルーキ市

ご存じのように、写真、ドローイング、油彩などの美術作品は、作品のなかで描かれる対象やモチーフ自体がもつエネルギーや気分を共有しています。作品のモチーフが悲劇的で悲しいものであればあるほど、作品が発散する気分は陰気で重いものになります。一日の大半をすごす空間の壁に作品が飾ってある場合はとくにそうです。この特性は絵画だけではなく物にもおよぶことが昔から知られているので、家に飾る彫刻や絵画を、経験豊かな人は注意ぶかく慎重に選ぶのです。

ふだんはあまり言及されることのない、ある条件に注目してみましょう。前向きな内容、あるいは中立的な内容の絵を壁に飾る場合、それを見た時の効果は予期していても、その絵自体が持っている本質的な潜在力や、私たちに影響をあたえる刺激には注意をはらっていません。絵の美的な面を重視するあまり、絵そのものからくる直接的な作用を私たちは見落としがちです。（この分野での最新の発見によれば）その作用は、この作用を受けとめるすぐれた受信機である私たちの身体とその絵のあいだの距離に正比例しています。つまり壁にかけられた絵は、私たちに作用するには遠すぎるのです。“前向きな姿勢と楽天主義に照らされる”というプロジェクトはこの発見にもとづいています。公共機関、企業、病院や療養所など、前向きなエネルギーをすばやく効果的に得ることが求められるすべての場所に、三方を板で囲った特製のブースを設置して、その内側に、ゆたかな自然や心休まる風景や陽をあびた花々など、きわめて前向きな絵や写真を貼りつけます。同様の絵や写真を貼った椅子があればいっそう効果が増すでしょう。このブースのなかで、あるいはこの椅子にすわってひととき（30~40分）を過ごせば、あなたは並々ならぬ元気のもとを得られるでしょう。

Облучение позитивностью и оптимизмом

1. Следует сделать из фанеры 2 открытых шкафчика без верха, дна и передней стенки, стоящие на ножках. Внутренности "шкафчиков" обклеить оптимистическими фотографиями, репродукциями картин или рисунками. (Желательно цветными, но можно среди них несколько черно белых)
2. Сбоку каждого шкафчика привинтить по две ручки с каждой стороны, чтобы „клиент" мог приближать или удалять стенки, сообразно своей фигуре.
3. Сделать один стул и обклеить его таким же образом (см. рис.) исключая сиденье. Можно использовать обыкновенный канцелярский стул но прибить к нему боковые и задние стенки. Сиденье оставить кожаное. (лучше всего если обивка у него: сиденье, поручни, спинка - все было кожаное, черное)

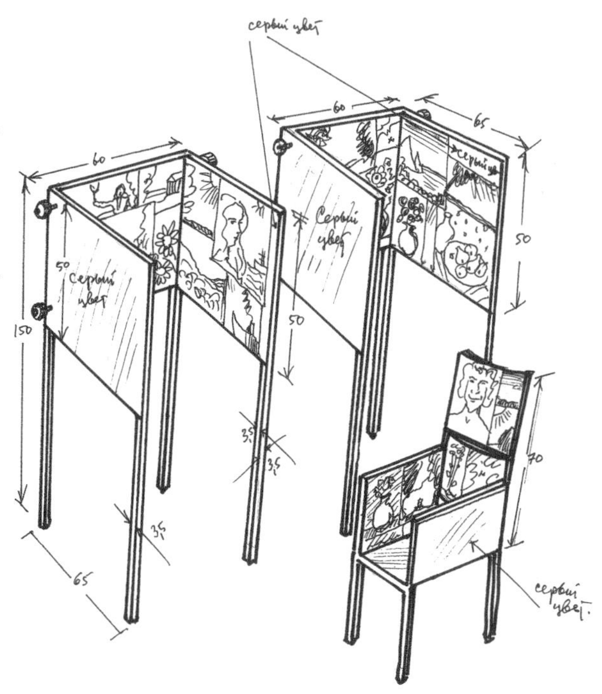

前向きな姿勢と楽天主義に照らされる——作り方

1. ベニヤ板でふたつのブースをつくる。天井、底部、前の壁はなく、脚をつける。“クローゼット”の内部には、楽観的な写真や油彩の複製、絵を貼りつける（できればカラーがのぞましいが、何枚かモノクロの作品があってもよい）。
2. それぞれのブースの側面には、両側にふたつずつ取っ手があり、“クライアント”が自分の体格にあわせてブースを近づけたり遠ざけたりできるようにする。
3. 椅子をひとつつくり、おなじように絵や写真を貼りつける（図を参照）。ふつうの事務用の椅子を使ってもよいが、両脇と背もたれに板をとりつける。座面は革張りのままにしておく（もっともよいのは革張りの椅子で、座面、ひじかけ、背もたれがすべて黒革だとよい）。

Как сделать лучше самого себя

自分をより良くする方法
How To Make Yourself Better
1995/2021

《プロジェクト宮殿》のプロジェクトのひとつを独立したインスタレーションに発展させた作品。カバコフは架空の人物になりかわって、次のような物語を書いている。

N. ソロマトキン、運転手、キシニョフ市

人はどうすればもっとすばらしい善良なきちんとした人間になれるのか。どうすれば自分の多くの欠点や短所からのがれることができるのか、つまり、自分をよりよい道徳的な人間にするにはどうすればいいのかという課題には、何世代ものモラリストや思想家や宗教者が努力してとりくんできました。大部分の人は、本人が内面的に自己を変えていくしかないと考えています。道徳のルールをきびしく守っていくしかない、という人たちもいます。俗世の誘惑をしりぞけて、ひたすら宗教の道を守るべきだ、という方もいます。

これらの道はどれも正しいので、どの道を選んでも望みの目的を達成できます。ですからどの道も否定しませんが、私たちのプロジェクトはさらにもうひとつの可能性を見越しています。それは毎日、ある手順をつづけることです。その手順は一見取るに足らないように思えますが、きわめて効果的かもしれません。

まず、白いチュールの布地で翼をふたつつくります。プロジェクトについている付録の図面を見ながらつくりましょう。翼を背中につけて固定する革のバンドも必要です。準備ができたらひとりで部屋に閉じこもって(この条件は、その後の活動を効果的にするためにも、また家族の誰かの望ましくない反応を予防するためにもたいへん重要です*)、翼を身につけて、5〜10分のあいだ黙って、なにもしないで過ごします。そのあとふだんの仕事にとりかかりますが、部屋からは出ません。2時間たったらまた最初とおなじなにもしない状態をくりかえします。この手順を2〜3週間、毎日つづければ、白い翼の効き目がぐんぐん現れてきます。

* なので、この手順の最中は窓のブラインドをおろし、ドアに鍵をかけておきます。翼はクローゼットに鍵をかけてしまっておくほうがよいでしょう。

作り方

1. 翼をふたつつくります。まず針金で骨組みをふたつつくり、その上に、白いチュールでつくった翼をとりつけます。翼は、楕円形に切ったベニヤの板に固定します。
2. ベルトを使って、肩、胸、腰に締める革のバンドをつくります。先にベニヤ板にとりつけておいた翼をバンドの後ろに固定します。
3. 展示する場合は、革のバンドも翼も、壁に打った釘にゆったりとかけます(厩舎の壁にぶらさがった普通の馬具のように)。
4. 翼のサイズは、縦140センチ、横40センチ。

„КАК ИЗМЕНИТЬ САМОГО СЕБЯ?"
Н. Соломаткин Шафер
г. Кишинев
Как сделать себя лучше, добрее, порядочней? Над этой задачей – как избавиться от большинства собственных недостатков, пороков, одним словом, как изменить себя в лучшую, нравственную сторону – билось не одно поколение моралистов, мыслителей, религиозных деятелей. Большинство видят единственную возможность в изменении самим человеком его внутреннего „я", другие видят в неукоснительном следовании нравственным правилам, третьи в отказе от земных соблазнов и следовании по религиозному пути.
Каждая из этих дорог правильна, став на нее можно добиться желанной цели. Не отвергая ни одну из них, наш проект предусматривает еще одну возможность. Она состоит в ежедневной процедуре, которая, несмотря на свою кажущуюся простоту, может оказаться чрезвычайно эффективной.
Нужно изготовить два крыла из белой тюлевой ткани, пользуясь тем чертежом который прилагается к проекту, а также кожаные ремни креплений для установки и фиксирования этих крыльев на спине. После этого, оставшись наедине в комнате (это условие достаточно важное, как для продуктивности предстоящего действия, так и для пресечения нежелательных реакций со стороны других членов семьи*) следует одеть на себя крылья, побыть в полном бездействии и молча 5-10 минут, после чего обратиться к своим обычным занятиям не выходя из комнаты. Через 2 часа вновь повторить начальную паузу. После 2-3 недель ежедневных процедур воздействие белых крыльев все с большей силой начнет проявлять себя
* По этому во время процедуры шторы на окнах должны быть спущены, двери заперты а крылья лучше всего хранить в шкафу на замке!
Зеркальный шкаф где под замком должны сохраняться крылья завернутые в специальный мягкий чехол.

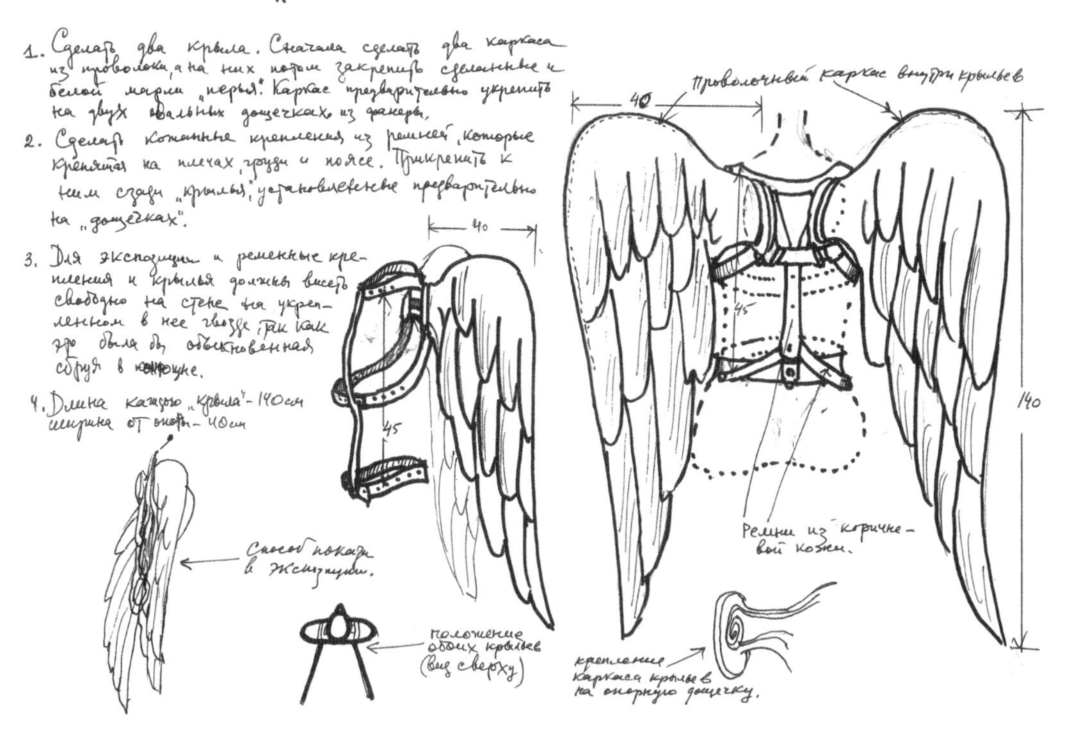
„КАК ИЗМЕНИТЬ САМОГО СЕБЯ?"
1. Сделать два крыла. Сначала сделать два каркаса из проволоки, а на них потом закрепить сделанные и белой марли „перья". Каркас предварительно укрепить на двух овальных дощечках из фанеры.
2. Сделать кожаные крепления из ремней, которые крепятся на плечах, груди и поясе. Прикрепить к ним сзади „крылья", установленные предварительно на „дощечках".
3. Для экспозиции и ременные крепления и крылья должны висеть свободно на стене на укрепленном в нее гвозде, так как это была бы обыкновенная сбруя в конюшне.
4. Длина каждого „крыла" – 140 см ширина от опоры – 40 см
40
Проволочный каркас внутри крыльев
40
45
45
140
Ремни из коричневой кожи.
Способ показа в экспозиции.
положение обоих крыльев (вид сверху)
крепление каркаса крыльев на опорную дощечку.

Библиотека художника

アーティストの図書館

The Artist's Library

1996/2021

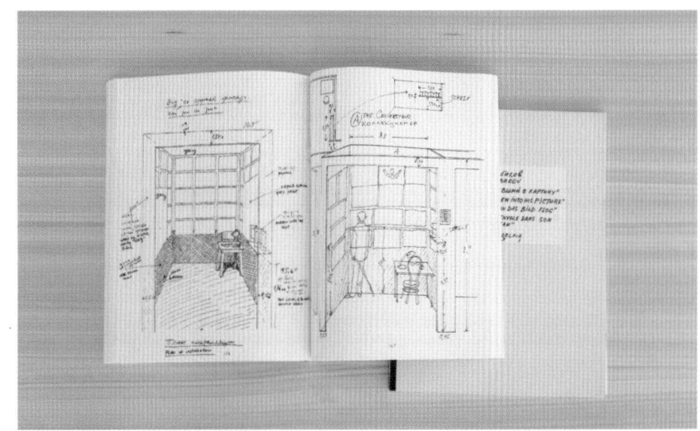

カバコフのアーティストブックや書籍を鑑賞するための図書館。カバコフが制作したアーティストブックには、作品にまつわるテクスト、ドローイング、図面や写真が掲載されている。紙を束ねたその素朴な形態は、ソ連時代のサミズダート(公的には出版できない書籍を手製で制作した地下出版)を想起させ、どんな状況においても本をつくりたいというカバコフの書籍や文化への情熱を映しだしているかのようである。

カバコフにとって、図書館や古文書館は、人々の人生や文化の営みを記録し保存する場所として、つねに創作の重要なテーマでありつづけてきた。図書館で本を読むすべての人の姿に天使の羽が生えている光景を描いたドローイング(《共同キッチンでの52の対話》1995)などからも、カバコフが図書館を、読者が天使のように時空を超えてさまざまな世界と出会うことができる特別な場所として捉えていることが分かる。

Рисовые Поля

棚田

The Rice Fields

2000

越後妻有で米作りをする人々をかたどった5つのレリーフ（田んぼの耕作、種播き、田植え、除草、稲刈り）を棚田に設置し、その手前には、米作りを描写するカバコフの詩を配置している。まつだい「農舞台」の展望台から鑑賞すると、オブジェと詩が重なりあい、さながら自然のなかの立体絵本である。カバコフは本作について次のように述べている。「他者が生きて生命を維持するために重要ななにかをつくりだすために生涯を捧げている人々に、私たちは普段注意を向けることはあまりありません。私たちはテクノロジーや日頃から慣れ親しんでいる他の多くの物質的なものがなくても生きることができます。しかし、食べ物や水などの素朴なものなしで生きることができるでしょうか？ そうは思いません。そして、私たちの最初の作品である《棚田》は、贅沢な報酬や感謝の言葉さえも期待せずに、非常に困難な日々の仕事を静かに行なっている人々を祝うものでした。」

まつだい「農舞台」が建設される以前の展示風景　2000

四月、輝く太陽。雪は消え、湿っぽい霞が空中を充たす。
ずんぐりした馬が、重い耕作用の鋤を懸命に引っ張る。
春のうちに、田んぼの準備を入念に。
新たな播種と種の植え付けのために。

五月の初め、太陽が照りつけ始める。
水に充たされた田の面が、暁の光に光る。
経験豊かな手が、暖まった大地に種を播いてゆく。
鋭く尖った芽が、大地から濃く生い立っていくように。

五月の太陽の下に木々は芽吹き、田の水はぬるんでくる。
大地から生えた茎は伸びてゆく。
植え付けられた植物が大地を着飾らせるように。
奇妙な木製の枠、タワクを転がして。

八月、暑さは頂点に達し、玉のような汗が滴り落ちる。
だが、休むいとまはなく、棚田から棚田へと刈ってゆく。
雑草が稲を覆ってしまわないように。
静かな稲。

人影は見えないほどに、高く成長した稲穂。
九月。鎌をふるい、一粒も残さず収穫を取り込む時だ。
田から、重い束をやっとのことで運び去る。
十月までにはすっかり乾燥させ、脱穀するためだ。

（太田昌国訳）

Арка жизни

人生のアーチ
The Arch of Life
2015

五つの像は人生の諸段階を表している。「卵」の形をした人間の頭は人生の始まりを示し、「少年」は、人生に向きあうことを恐れてライオンの仮面を被っている。「光の箱を背負う男」は、暗い生を照らしつづけるために光を運び、「壁を登ろうとする男　あるいは永遠の亡命」は、周囲の状況や人生から逃げようとしている。最後の彫刻「終末、疲れた男」は、重いものを背中に背負ったまま、立つこともできなければ、姿勢を変えてくつろぐこともできない。カバコフはアメリカに移住し著名な作家となった後も亡命者としての疎外感に苦しみ、自らの境遇を本作に重ねたと語っている。「私たちは皆、人生という同じ船に乗っています。この世に生を享け、生き残るために戦い、しばしば這いつくばり、他者を恐れ、目の前に立ちはだかる人生の困難や障害の壁を登り、人生という重い荷物に押し潰されて倒れ、人生の終わりには静かに休息するのです。」(カバコフ)

イリヤ・カバコフ　人生のアーチ　ドローイング　2015
Ilya Kabakov. The Drawing of "The Arch of Life"

イリヤ・カバコフ　人生のアーチ1（ふたつの顔） 2013
Ilya Kabakov. The Arch of Life 1 (Two Heads)

人生のアーチ2（怯える少年） 2013
The Arch of Life 2 (The Scared Boy)

《人生のアーチ》に寄せる作家のテクスト

この彫刻は、人生の異なるステージを表しています。これは「人生のアーチ」であり、その上にいくつかの像が置かれています。

「卵」の形をした人間の頭には、ふたつの顔があります。人生の始まりで、ひとつの顔はまだ「眠って」いて、もうひとつの顔はゆっくり目覚めようとしています。

「少年の像」は、両手両足を地面につけた怯えた人間です。彼が這っているのは、人生に向きあうことを恐れているからで、だからこそライオンの仮面を被っているのです。

人生のアーチ3（男は光の箱を運んでいる） 2013
The Arch of Life 3 (He Is Carrying Box with Light)

人生のアーチ4（壁を登ろうとする男） 2013
The Arch of Life 4 (Climbing over the Wall)

「光の箱を背負う男」。この箱は半透明で、なかからたえず光が漏れています。人生は暗いので、人は生を照らしつづけるために光を運ばなくてはなりません。それは生の光、知の光です。

「壁を登ろうとする男　あるいは永遠の亡命」では、男は周囲の状況、問題、拘束、人生そのものから逃げようとしています。でも彼は、あらゆる意味で永遠にこの状況から逃れることができません――身体的にも、政治的にも、感情的にも…… これは亡命者のイメージです。彼はどちらの世界にも存在していません。

人生のアーチ5（疲れた男） 2013
The Arch of Life 5 (The Tired)

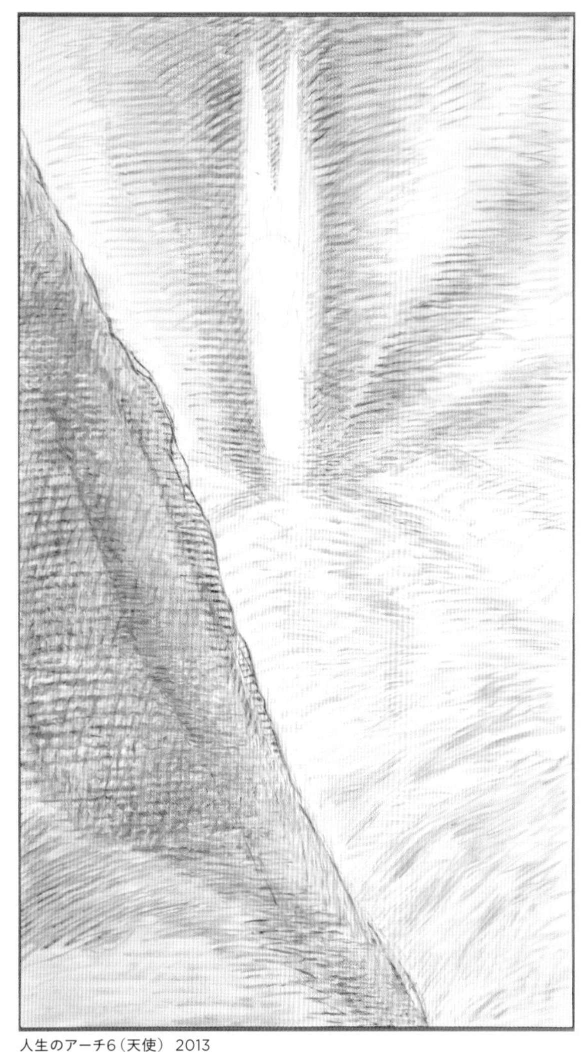

人生のアーチ6（天使） 2013
The Arch of Life 6 (The Angel)

最後の彫刻は「終末、疲れた男」です。彼は、ひどく重いものを背中に背負ったままであるかのような姿勢をとっています。立つこともできなければ、姿勢を変えてくつろぐこともできません。

Монумент толерантности

手をたずさえる塔
The Monument of Tolerance

2021

　この塔は、世界や地域の状況を反映して色を変え、人々の心に呼応して寄り添う。民族、宗教、文化を超えたつながり、平和、対話、共生を象徴する作品であるとカバコフは語る──「多様性を重んじること、手をたずさえることは、世界で最も重要であるのにないがしろにされているもののひとつだと思います。手をたずさえるとは、すなわち、あらゆる人種、国籍、文化の人々がお互いを人間として受け入れるだけでなく、あらゆるレベルで他者の知識を尊重し、理解し、育てるのを助けることです。真の意味で手をたずさえるために最良の方法は、文化と子どもたちの教育です。」「今回私たちは、人々のつながりを表すモニュメント、人々がお互いの違い、彼らの問題、関心について平和的に話しあうのを促すための塔をつくります。アートを介して、手をたずさえることの大切さを全世界に広めたいのです。」

　塔の周りは小公園として整備され、人々の憩いや語らいのための場所となる。（2021年秋完成予定）

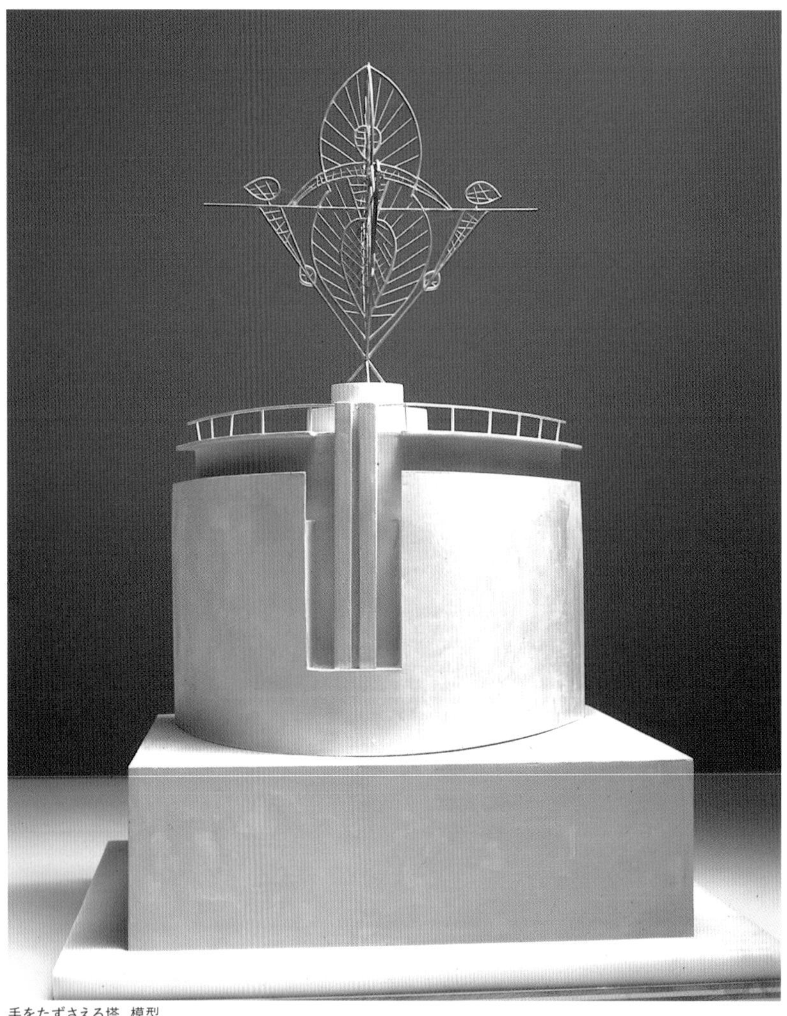

手をたずさえる塔　模型
The Model of “ The Monument of Tolerance”

イリヤ・カバコフ　手をたずさえる塔　ドローイング　2021
Ilya Kabakov. The Drawing of " The Monument of Tolerance"

Корабль толерантности

手をたずさえる船
The Ship of Tolerance

2005/2021

《手をたずさえる船》は2005年に始まったプロジェクトで、これまでエジプト、イタリア、スイス、アラブ首長国連邦、キューバ、アメリカ、ロシアなどで実施された。カバコフがデザインした船の上で世界中の子どもの絵を組み合わせて帆をつくり、創作や交流を通じて子どもが多様な文化や思想の尊重を学ぶことを目的としている。妻有では《手をたずさえる塔》の展示室にこの船の模型が設置される。カバコフは語っている。「私たちは、子どもたちが彼らの関心、恐れ、願いについて話すための場として《手をたずさえる船》というプロジェクトを行ってきました。」「私たちは植物や動物の世話をします。なぜならそれらが私たちを必要としているから。しかし、私たちは子どもたちが成長するにあたり、世界を理解するのを助けようとせず、自分自身、他者、彼らが対処しなければならない人生に向きあうための価値観や倫理を与えないことがあります。でも文化は、教訓的な方法ではなく、美術や文章やより繊細なアプローチを通じてそれらすべてを伝えることができます。」
（2021年秋設置予定）

手をたずさえる船 模型
The Model of “ The Ship of Tolerance”

手をたずさえる船　版画　2021 version
The Print of "The Ship of Tolerance"

左上
ツーク（スイス連邦）での展示　2016
Zug, Switzerland

右上
アラブ首長国連邦シャールジャ首長国での展示　2011
Sharjah, United Arab Emirates

左下
シカゴ（アメリカ合衆国）での展示
2019
Chicago, United States

右下
ロストック（ドイツ）での展示　2018
Rostock, Germany

Илья Кабаков и Эмилия Кабакова

イリヤ & エミリア・カバコフ｜イリヤは1933年、旧ソ連（現ウクライナ）生まれ。1950-80年代は公式には絵本の挿絵画家として活躍する一方で、非公式の芸術活動を続けた。80年代半ばに海外に拠点を移し、ソ連的空間を再現した「トータル・インスタレーション」をヴェネツィア・ビエンナーレやドクメンタに出展。1988年に、エミリア（1945年生）とのコラボレーションを始める。日本でも「シャルル・ローゼンタールの人生と創造」展（1999年）、「イリヤ・カバコフ『世界図鑑』絵本と原画」展（2007年）等の個展を開催し、妻有では《棚田》（2000年）、《人生のアーチ》（2015年）を恒久設置した。2008年、高松宮殿下記念世界文化賞受賞。ニューヨーク在住。

西暦	歳	イリヤ・カバコフ年表	ソビエト連邦、ロシアの動向	世界情勢
1933	0	旧ソ連（現ウクライナ）のドニェプロペトロフスクで生まれる。7歳まで同市に住む。		ドイツにヒトラー内閣が成立。日本が国際連盟を脱退。
1934	1		キーロフ暗殺事件を契機として大粛清が始まる。	ドイツでヒトラーが総統となる（〜1945）。
1939	6		ポーランド侵攻。	第二次世界大戦が始まる（〜1945）。
1941	8	戦火を逃れてサマルカンドに疎開。	独ソ戦が始まる（〜1945）。	太平洋戦争が始まる（〜1945）。
1943	10	サマルカンドに疎開していたレニングラード絵画彫刻建築学校に入学。		イタリアが降伏し、ファシスト党が解体。
1945	12	モスクワに移住。モスクワ美術学校で学ぶ。	米ソ冷戦始まる。	日独が降伏し第二次世界大戦終了。国際連合成立。
1951	18	モスクワ芸術大学グラフィック学部で学ぶ。在学中に絵本の挿絵制作を始める。		
1953	20		スターリン死去。 ニキータ・フルシチョフが第一書記に就任（〜1964）。	
1955	22			ドクメンタ1回展開催。
1956	23	卒業制作『さまよえる星たち』挿画のためにモルダヴィアを旅行。	フルシチョフによるスターリン批判。	
1957	24	モスクワ芸術大学卒業。絵本の挿絵画家として生計を立てる。	スプートニク1号打ち上げ成功。	スプートニク・ショックが起こる。
1958	25	並行して発表する当てのない瞑想的、抽象的な作品を自分のために制作していく。		
1961	28			米アポロ計画開始。

自分の絵のなかに飛び込んだ男　1991
The Man Who Flew into His Picture

橋　1991
The Bridge

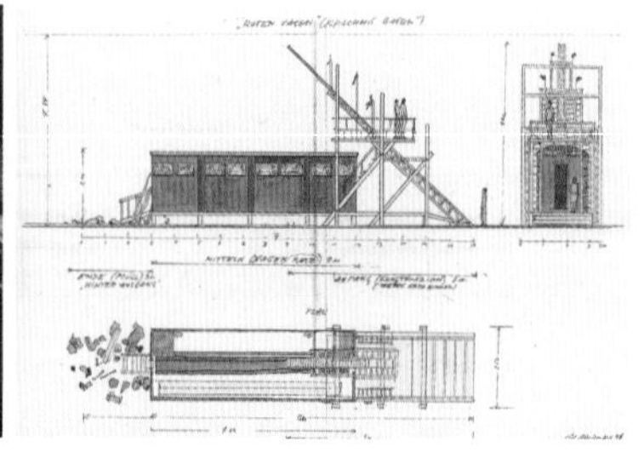

赤い車輌　1991
The Red Wagon (Drawing)

西暦	歳	イリヤ・カバコフ年表	ソビエト連邦、ロシアの動向	世界情勢
1962	29			キューバ危機。
1963	30	アトリエのある建物が取り壊される。	米・英・ソが部分的核実験停止条約に調印。	アメリカ大統領ケネディが暗殺される。
1964	31		レオニード・ブレジネフが第一書記となる(〜1982)。	東京五輪。アジア初開催。
1965	32			アメリカが北ベトナム爆撃開始。
1966	33	ポズナンで「16人のモスクワのアーティスト展」に出展。海外に持ち出された作品が展示されても、カバコフがそれらの展覧会に行く機会は1987年までなかった。		中国で文化大革命。
1967	34			ヨーロッパ共同体(EC)が誕生。
1968	35	モスクワのカフェ「青い鳥」でエリク・ブラートフと展覧会を開催。	「プラハの春」に介入。	
1969	36	フィレンツェのギャラリー・パナンティで「モスクワの新流派30人の非公認アーティスト展」に出展。		アメリカのアポロ11号が月面着陸。
1970	37	最初のアルバムを制作する。	アレクサンドル・ソルジェニーツィン、ノーベル文学賞受賞。	
1973	40	ディナ・ヴィエルニ・ギャラリーで「アヴァンギャルド・モスクワ73展」に出展。		オイルショック。
1974	41	「ブルトーザー展覧会」(1974) 非公式の芸術家による展覧会が、政府が投入したブルドーザーと散水車によって破壊される。《10のアルバム》が完成。		
1975	42		アンドレイ・サハロフ、ノーベル平和賞受賞。	ベトナム戦争が終結。第1回サミットがフランスで開催。
1976	43			中国共産党主席、毛沢東が死去。
1979	46		アフガニスタン侵攻。	第二次オイルショック起きる。
1980	47		モスクワオリンピック開催。日、米、西独不参加。	
1982	49		ユーリー・アンドロポフが第一書記となる(〜1984)。	
1983	50			インターネットが誕生。
1984	51		コンスタンチン・チェルネンコが第一書記となる(〜1985)。	
1985	52	ディナ・ヴィエルニ・ギャラリー、ベルン・クンストハレで個展を開催。	ミハイル・ゴルバチョフが書記長に就任。ペレストロイカを始動(〜1991)。	
1986	53		チェルノブイリ原発事故起こる。	
1987	54	バーゼル市立現代美術館で「イリヤ・カバコフ&イワン・チュイコフ展」開催。グラーツ・クンストフェラインに滞在。初めて西側を訪れる。		世界の人口が50億人を突破。
1988	55	《10の人物》を発表。ヴェネツィア・ビエンナーレに参加《夕食前に》。	米・ソ間のIMF全廃条約が発効。	

トイレ 1992
The Toilet

見捨てられた学校、あるいは第6小学校 1993
The Deserted School or School # 6

わが人生の舟 1995
The Boat of My Life

西暦	歳	イリヤ・カバコフ年表	ソビエト連邦、ロシアの動向	世界情勢
1989	56	DAADの奨学金を得て翌年までベルリンに滞在。エミリアとのコラボレーションを始める。	マルタで米ソ首脳会談、冷戦終結宣言。	天安門事件。東欧革命おこる。ベルリンの壁崩壊。
1990	57		ゴルバチョフ、初代大統領となり、ノーベル平和賞受賞。	東西ドイツが統合。
1991	58	軽井沢セゾン美術館で《共同キッチン》、世田谷美術館「ソビエト現代美術―雪解けからペレストロイカまで」展に参加。	ボリス・エリツィンが大統領となる(〜1999)。ソビエト連邦が崩壊。ロシア連邦に。	ラトビア、リトアニア、エストニア再独立。連邦議会ベルリン移転決議。
1992	59	ニューヨークに転居。ケルンで《ハエの生活》を、ドクメンタIXで《トイレ》を展示。		
1993	60	《赤いパビリオン》、《第6小学校》、《わが人生の船》を制作。		ECがヨーロッパ連合(EU)となる。
1994	61			ルワンダ虐殺起こる。パレスチナ自治政府設立。
1995	62			WTO発足。
1996	63	《屋根の上で》、《失われた手袋のモニュメント》を制作。		
1997	64	《記憶療法》、《私たちは京都に行った》、《アンテナ/空を見上げて言葉を読む》を発表。ヤン・ファーブル&イリヤ・カバコフのレクチャーパフォーマンス開催(東京オペラシティ)。佐谷画廊で個展開催。		香港が中国に返還される。
1998	65	《プロジェクト宮殿》を発表。		インド、パキスタン核実験。北朝鮮がテポドン発射。
1999	66	水戸芸術館で「シャルル・ローゼンタールの人生と創造」開催。名古屋白川公園に《彼らはのぞきこんでいる》を設置。佐谷画廊で個展開催。	大統領代行にウラジーミル・プーチンが就任。	
2000	67	大地の芸術祭で《棚田》を制作。	ウラジーミル・プーチンが大統領に就任(〜2008)。	第1回大地の芸術祭開催。
2001	68	《落ちた天使》を東京国立近代美術館で展示。		アメリカ同時多発テロ。
2002	69			ユーロ流通開始。東ティモール独立。
2003	70	ヴェネツィア・ビエンナーレで《私たちの場所はどこ?》を発表。ドイツのボーフムで、メシアンの歌劇《アッシジの聖フランチェスコ》の舞台美術を担当。		イラク戦争。フセイン政権崩壊。SARS流行。第2回大地の芸術祭開催。
2004	71	森美術館で「私たちの場所はどこ?」展を開催。		スマトラ島沖地震。マドリード列車爆破テロ事件。
2005	72	《手をたずさえる船》プロジェクトの開始。		ロンドンで同時多発テロ発生。
2006	73			第3回大地の芸術祭開催。
2007	74	「イリヤ・カバコフ『世界図鑑』絵本と原画」展を神奈川県立近代美術館等で開催。ヴェネツィア・ビエンナーレで《マナス(ユートピア都市)》を発表。		

アンテナ／空を見上げて言葉を読む　1997
Antenna / Looking Up. Reading the Words

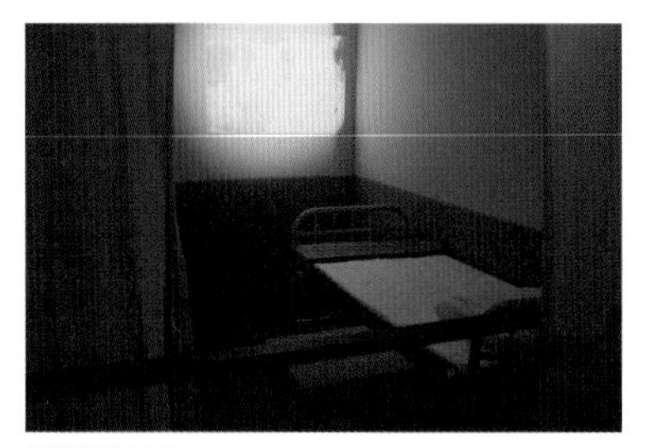

記憶療法 1997
The Healing with Memories

モーツァルトを聴きながらリンゴを手に入れる20の方法　1998
20 Ways to Get an Apple Listening to the Music of Mozart

西暦	歳	イリヤ・カバコフ年表	ソビエト連邦、ロシアの動向	世界情勢
2008	75	モスクワで大回顧展を開催。高松宮殿下記念世界文化賞受賞。ロシア連邦友好勲章受賞。	ドミートリー・メドヴェージェフが大統領に就任(〜2012)。プーチンは首相に就任(〜2012)。	リーマンショック。世界金融危機。
2009	76	ボルドーに《ボルドー市のモニュメント》、《人物たちの家》を設置。		第4回大地の芸術祭開催。
2010	77	バイエルン国立歌劇場でエトヴェシュの歌劇《悪魔の悲劇》舞台美術を担当。		チリ地震。チュニジアで暴動が発生。アラブの春に波及。
2011	78			リビア内戦。イエメン騒乱。日本で東日本大震災発生。
2012	79		プーチンが大統領に就任。メドヴェージェフは首相に就任(〜2020)。	シリア内戦。第5回大地の芸術祭。
2014	81	「奇妙な都市」展　グラン・パレで開催。		イスラム国が樹立を宣言。
2015	82	大地の芸術祭で《人生のアーチ》を制作。		米全州で同性結婚が合法化。第6回大地の芸術祭開催。
2016	83	茨城県北芸術祭で《落ちてきた空》を展示。		イギリスがEU離脱を決定(2020年に離脱)。
2017	84	テートモダンで大回顧展開催。		
2018	85	エルミタージュ美術館、トレチャコフ美術館で大回顧展開催。		第7回大地の芸術祭開催。
2020	87			新型コロナウイルスが世界中で大流行。
2021	88	越後妻有で《カバコフの夢》を制作。		

誰もが未来に連れて行ってもらえるわけではない　2001
Not Everyone Will Be Taken into the Future

私たちの場所はどこ？　2003
Where Is Our Place?

マナス 2007
Manas

もう一つの美術史　2008
An Alternative History of Art

クーポラ　2011
The Cupola

暗い礼拝堂　2014
The Dark Chapel

Message for Echigo-Tsumari

How strange it is that so far away, at the remote region of Japan we are going to have our archive. Not in the country we were born, not in the country we live now, but at Echigo-Tsumari.

When many years ago we were brought there, the first thing we noticed was vast spaces, rice fields and...unbelievable feeling of peace. Residents in Echigo-Tsumari were weaving in front of us the fascinating net of dreams of filling this land with beautiful, meaningful artworks of the best artists in the world. All of you, residents in Echigo-Tsumari, were magicians, presenting us with an impossible dream.

But you were magicians who, by waving your magic wand, managed not only to realize your promises, but also to make much more than that. You created a real Magic Kingdom. A Cultural Magical Country, where many artists made their artworks, changing the landscape forever.

We also would like to thank our director and hosts: the people and Municipality of Echigo-Tsumari which so generously let us install our art on their land and help to make dreams of so many artists to became a reality.

The beauty and importance of culture in any form: poetry, stories, music, dance, sculpture, paintings, installations is that despite all the political, economical, natural changes it does stay forever. It's passed from generation to generation again and again, reminding us that that is what makes and keeps us HUMAN.

Now we know, that somewhere on our Earth, there is a place where DREAMS COME TRUE.

Emilia and Ilya Kabakov

The journey to "Kabakovs' Dreams"

Kitagawa Fram

I saw the Kabakovs' artwork for the first time at Venice Biennale in 1993. I remember feeling a sense of wonder as I went through the labyrinthine interior space and encountered an architecture that had made to look obviously Russian. After visiting this place, I was curious to see what this artist would create in Echigo-Tsumari, this artist who became famous across the world soon after he left Russia where artistic activities were tightly restricted. The Kabakovs were very happy to come to Japan. That was the beginning.

It was March 1999 when Ilya and Emilia Kabakov came to Japan. There was still snow on the ground. After showing them potential sites for their artworks in Tsumari and Matsudai, Ilya stood on Platform No.1 of the unmanned Matsudai station on the Hokuhoku Line. He stood motionless, facing towards the direction where, a hundred meters away, a terraced rice field spread out at an altitude of about a hundred meters on the hillside we call "Joyama." How much time passed then? Was it half-an-hour or two hours? Sometimes he nodded and other times he turned towards us with that famous gentle smile on his face. It was not until a few months later when I received the first sketches that I realised that that gaze was an inspiration for "The Rice Fields". I could see that it was a three-dimensional picture book relating to countless projects that he had imagined but was unable to present for over forty years, until he left Russia at the age of 53. (Later I was told that previous works of Kabakov's relating to "The Rice Fields" included "Tima at Home" (1969), a children's book featuring working people as a person selling theatre tickets viewed from the perspective of labour; and "Three Nights" (1989) and "The Observer (The Illuminated Window)" (1998), considered in terms of looking far into the distance from a single vantage point.)

That terraced rice field was managed by Mr Fukushima Tomoyoshi, who lived nearby. To tell you the truth, he was planning to quit working on the terraced rice field in 2000, so when we first asked if we could use his rice field his response was not too favourable. We translated a poem that the Kabakovs made and carefully explained our plan in detail. The poem is indeed exceptional.

The April sun is shining. The snow has almost all disappeared, there is a damp fog in the air;
A stunted house is pulling the heavy plow with difficulty.
Springtime has arrived the land must be carefully prepared.
For new sowing and for planting seeds.

In the beginning of May the sun begins to get very hot.
The field covered with water shimmers smoothly in the morning rays.
And the seeds, scattered by an experienced hand, lie down on the warm ground;
To sprout up thickly as green sharp stalks.

Leaves on the trees have already sprouted under the May sun. The water in the fields has already been warmed up.
Tender stalks of shoots are plucked from the field and brought in bunches,
In order to plant them into the ground in straight rows:
This order will be demonstrated by the antique wooden frame TAWAKU.

In August the sun is at its zenith, the heat is merciless, sweat pours like hail.
But there is no time to rest and take shade: field after field, terrace after terrace must be weeded
So that the weeds do not crowd out
The tender stalks of rice.

The people in the field can barely be seen: that's how high the stalks have grown.
The steel sickles are made very sharp in September: it is time to gather the harvest, not losing even one grain.
The heavy sheaves are carried from the field with difficulty
In order to dry them and clean the grain before the October rains.

The Kabakovs' poem and artwork were in homage to Echigo-Tsumari and the struggles of farmers who work the land in this place. For Fukushima-san, there is no "no". On the contrary, he started to weed more carefully than ever before! The descendant of Russian farmers and the Echigo-Tsumari farmer could appreciate each other. When we ran events in the piloti space after Matsudai Nohbutai was completed, the sight of Fukushima-san in the field became an important element in the landscape, which he seemed delighted with.

Although he got weaker, he continued to work the rice field until he finally retired in 2006. It was in the autumn of that year when a TV program reporting on the Kabakovs' "The Rice Fields" and Fukushima-san's retirement was broadcast across Japan on TV Asahi. It was such a delightful sight for us to see, from the other side of the river parents and children walking happily in the rice field. The sight of children playing in the spaces where carefully created artworks have been installed by grownups is incredibly rich and radiant. This was how "The Rice Fields" became one of the masterpieces of ETAT. Fukushima-san passed away in 2017 and subsequently his terraced rice field has been passed on to us for safekeeping.

After being postponed for one year, we managed to run the first Echigo-Tsumari Art Triennale (ETAT) in 2000, followed by the second iteration in 2003. We slowly started gaining the support of the local community when the third festival was due to be delivered. In 2014 we were contacted by Dr Kono Wakana, a researcher of the Kabakovs. The Kabakovs had started to contemplate retirement after their solo show at the Grand Palais in Paris, as they were exhausted by the commercialism and egoism dominating the art world. All of sudden, however, Ilya said "We do have Echigo-Tsumari". According to Kono-san, the Kabakovs wanted to create an artwork. This time, it was the Kabakovs who approached us. Their proposal was "The Arch of Life," representing the different phases of life, as follows:

- A human head being born from an egg
- A figure of a boy wears a mask of lion, feeling frightened to face his life
- The man carrying the box with light
- The man climbing over the wall / or an eternal migrant

• The end / The Tired Person

This matched exactly our lives, I thought. I also regarded it as a tombstone gifted to us by the Kabakovs, and so I asked Kurakake Junichi to complete the sculpture.

On 9 June 2020, we received another proposal from the Kabakovs: "The Monument of Tolerance." The COVID-19 pandemic was about to start taking over the globe. (Ilya turned 87 years old and Emilia turned 75 years old in 2020). The participating artists and budget for the 8th ETAT had already been confirmed. In addition, we had to renovate Matsudai Nohbutai. However, with the possible harbinger of a wholesale change in the world's relationship to nature, the artworks of the Kabakovs, who continued to weave their dreams under oppression, struck me as particularly beautiful. The artwork set on Joyama in Matsudai illuminates the landscape with a light representing joy, anger, sorrow and pleasure in the world. It felt to me like the sound of the bells as described by the Dutch historian Johan Huizinga in his "The Waning of the Middle Ages" published in 1919.

> One sound rose ceaselessly above the noises of busy life and lifted all things unto a sphere of order and serenity: the sound of bells. The bells were in daily life like good spirits, which by their familiar voices, now called upon the citizens to mourn and now to rejoice, now warned them of danger, now exhorted them to piety. They were known by their names......
> (Johan Huizinga, *The Waning of the Middle Ages*, Hodder & Stoughton, 1924.)

Anywhere in the world, each ordinary house, neighbourhood, village, or town has its own collective emotion. It's like a kind of a commonly shared subjectivity, such as when a mother instinctively feels her own child's pain.

After that we brought in Kono-san, who worked as a curator to help us realise "The Arch of Life" in 2015. Every few days, we talked together about the project, like this: (1) Whatever happens, let's be sure to realise this monument. (2) Let's transform the base of "The Monument of Tolerance" into an exhibition space. "The Ship of Tolerance" would be the best project to present there. (3) Let's create an archive room where people can learn about the Kabakovs in the renovated Matsudai Nohbutai. We want to have an installation there – "The Man Who Flew into Space from His Apartment" would be good, but the ceiling is not high enough. (4) The Kabakovs say "10 Albums" could work. (5) "The Palace of Projects" and "The Artist's Library" could also be options."How Can One Change Oneself?" is better separated from other works. We will ask Toshimitsu Osamu and Tao Hirohide, who worked on "The Monument of Tolerance," to renovate Matsuadi Nohbutai. Why don't we make a room available in the Museum on Echigo-Tsumari, Mon-ET? And if so "16 Ropes" would best suit; and so on.

During these times, the COVID-19 pandemic was rampant. Although the production of artworks were mostly in progress for "Ichihara Art x Mix 2020" leading up to the opening in March 2020, we didn't have any choice but postponing the festival. "Northern Alps Art Festival" (June 2020) and "Oku-Noto Triennale" (September 2020) also had to put their dates forward. A year had passed, but ETAT still had to postpone till 2022.

COVID-19 measures in Japan have been regarded as one of the wheels of a vehicle that is advancing to meet the politically determined dates of delivering the Olympics. It was obviously impossible, however, to control these wheels of different sizes and made of different materials. After the decision was taken to postpone the Olympics for one year, the original purpose of the Olympics; "revitalising Tohoku and Fukushima" was substituted with "winning the battle with COVID-19." It was even decided to run the Olympics with no spectators. Setting aside the dreadful politics, what is this new coronavirus, which has emerged in the midst of a global environmental crisis? This virus has shut down the sociality that makes us human – the movement, conversation, conviviality; along with the globalisation of money and information – resulting in isolation and division. Yet this fact has been relegated to the margins. As for ourselves, we had discussions with the local government and communities with our first interest in whether we were actually able to make artworks for the festival and if such artworks could be visited. However, we continued to be tossed about by twists and turns and thoughtless national politics, without any clear future prospects. We faced so many issues including: artists couldn't come to sites nor move across from one region to the other. Volunteers were unable to participate. The postponing the festival cost us extra money and the labour increased as the duration extended. (The unit cost of actual labour was reduced to a third or a half.)

Throughout this time, I can only feel grateful for the curator, staff in charge, architects, builders and other people involved: for their efforts in realising the Kabakovs' works which were not even in the original plan of the festival. What has also encouraged us throughout are the struggles of artists in and outside Japan as well as people working in the field of art. For each artist, the creation of artworks is a almost a physiological function, like breathing. Letting people experience such works at a time when culture, art and expression have been continuously fighting a losing battle could be described as being like a sumo wrestler trying hard to keep his feet on the Tokudawara (in sumo, this is a section of the edge of the ring which is slightly set back). Through this experience I have to admit that I have come to understand that an artwork of an artist is actually created by the will of other people living in the same period. When naming this series of works by the Kabakovs, which have only been able to be realised in Echigo-Tsumari in 2021 while the world faces the COVID-19 pandemic, there are no words other than "Kabakovs' Dreams." Although we had no choice but to postpone ETAT2021 to the year 2022, these artworks provided the drive to make "Echigo-Tsumari this year" happen in 2021.

(General director of the Echigo-Tsumari Art Triennale)

The Kabakovs' Dreams

Kono Wakana

A Museum for Dreams

The Kabakovs' artworks are replete with dreams.

"The Palace of Projects" (1998), a large two-story installation emitting soft white light, is a museum to preserve dreams of ordinary people who lived in the Soviet Union. Ilya Kabakov, who is also a novelist belonging to the rich stream of Russian fantasy and absurdist literature, created sixty-five dreamers, revealing their dreams and plans through texts, drawings and objects. One plan involves becoming a better person by making angel wings and attaching them to one's back; another distributes life energy equally to each region on earth by launching a rocket loaded with huge panels into the heavens; and a third aims to discover solutions to other problems by first activating the brain by tackling the challenging task of finding a way to bring a horse up to a landing on a household staircase and then safely bring it back down again. Some plans are funny, modest and adorable while others are magnificent like science fiction. Following his idea of "*the world consists of a multitude of projects, realized ones, half-realized ones, and those not realized at all*", Kabakov regards dreams and plans as the evidence of life and attempts to preserve all dreams including frustrated and failed ones and to remember all of them for good.

"Ten Albums" (1970-74) which looks like a *Kamishibai* (picture-story-show) also features people with dreams. The sixth album called "The Flying Komarov" is about a man who came out from the balcony of an apartment in the hope of being released from every suffering as he was too exhausted by the gloom of everyday life. He dreamt about a world where people lived freely in the open sky. As he flew through the air, he was fascinated to see people running happily around in the sky on a bird-sledge; inviting friends to their living rooms up in the air to share a cup of tea; and enjoying fishing as they floated just over the surface of the sea. However, a witness suddenly appeared in the later half of the story and testified that the man fell out of the balcony swinging both arms around. The story concluded with the following words: "In his vision I saw a picture of paradise that has been lost to us forever... A happy world where peace and joy reign, where everything is in an eternal state of bliss... Where people, joining, hands, live among green nature which is bathed in sunshine......."

The first album "Sitting-in-the-Closet Primakov" is about a story of a boy who had withdrawn to and lived in a closet. He closed the door to the closet tight, dreamt lots of dreams in the darkness, and imagined a scene him flying up high into the sky. One day, his family opened the closet door as it was suspiciously quiet and found the boy vanished. It was supposed to be impossible for the boy to leave as there was always someone in the room.

"Ten Characters" (1988), set in a communal apartment block in the Soviet Union, also features stories of ten dreamers. The man who continued to make strange devices in his room as he dreamt of launching into space in the future actually broke the ceiling and departed to "somewhere" one day. Kabakov is thoughtful about those who couldn't help finding hope in such ridiculous dreams: These people were under extreme conditions within a controlled and divided society. Kabakov has been carefully documenting these dreams as he regards them as something precious. Such a perspective is somewhat similar to the angels that appear in the Wim Wenders' film "Wings of Desire" who spend time closely with people and keep records of their lives.

The Kabakovs' Trajectory

Ilya Kabakov was born in 1933 in Dnepropetrovsk, Soviet Union (currently part of Ukraine). He studied at the Leningrad Academy of Art where he evacuated to as he escaped from the war. He then moved to Moscow in 1945 and continued to study art. He began his career as a children's book illustrator while he was a student at art university and supported himself by creating about a hundred children's books throughout the Soviet period until the late 1980s. He describes this period as "playing the social role" of an illustrator of children's book as making publications was so constrained under cultural control and censorship.

Kabakov officially lived as an illustrator for children's book while he secretly continued to create "works for himself". However, there were almost no opportunities to present these works in the Soviet Union while the officially approved style of art was Socialist Realism. Until his early fifties he only showed his art unofficially to a close circle of artists friends at his studio or apartment. However, with the beginning of perestroika in 1985, it became possible for him to participate in artist residencies and organise exhibitions in Germany and the USA. He started his collaboration with Emilia, who was working as a curator in New York, in 1989, and he moved to New York to join her in 1992.

Since he moved his artistic base to the West, he has devoted himself to creating "total installations", installation artworks reproducing Soviet-like space. "The Deserted School or School #6" (1993) installed in Marfa, Texas consists of classrooms, a cafeteria and teachers' room, and notebooks and textbooks that once belonged to the children that were scattered around a classroom in which a portrait of Lenin was hung. While this artwork represents the lost world of the Soviet Union, Kabakov says that every one of us has once been to a school like this and thus the school evokes an image of school in one's memory.

"The Red Wagon" (1991) is an installation consisting of three parts. The first part, a wooden structure in the "constructivist style" of the 1920s, represents the Soviet Union from 1917 to 1933, filled with the hopes of constructing a bright future. The second part responds to the Soviet Union from 1934 to 1963 with the painting of an imaginary utopia drawn in the Socialist Realist style hanging inside the wagon. The third part consists of big piles of garbage at the back of the wagon showing the era from 1964 to 1985 when the fantasy collapsed. While this work holds an ironical perspective towards history and nation, a group of Russians visited the venue where this installation was presented in Vienna in the 1990s, started to dance. They were captivated by dreams from the past when looking at the utopian landscape paintings in the wagon and listening to music from old times. This shows how the Kabakovs' works are "places for memories to live within". (Minato Chihiro).

Memory is also a main theme for works using garbage such as "16 Ropes" (1984/2021). The Kabakovs try to document real lives and voices of all different kinds of people in this work by hanging garbage such as empty cans and tree bark on ropes accompanied by cards with text capturing ordinary conversation from everyday life. One can see the artists' view of the world which is to admire and treasure everyday life even there is no special event. In the eighth album "The Decorator Maligin" of "Ten Albums", the drawings of dinner tables with people and flowers are drawn only in the margins or corners of the picture, leaving an empty centre. This tells us that while individuals may well be something peripheral to a nation or society, it is their everyday life that is a reality.

The Potential of Art

A key theme that is perceived while casting one's eyes over the Kabakovs' creations is the idea of changing oneself by "seeing," which repeatedly appears from the early works to ones that are more recent. One of the characters in "Ten Characters" jumped into a picture of his own as he continued to stare at it and ventured somewhere else far from here. "Irradiation with Positivity and Optimism" in the "The Palace of Projects" is a plan to cheer oneself up by looking at bright paintings and photographs of nature and flowers on the interior walls of a booth enclosed with three pieces of wooden board. There is a project which one would make and look at a garden-in-a-box with miniature animals and plants so that he can feel as if he is in heaven. There is a man who attempts to return to a happy childhood by looking intensely into a drawing of his favourite picture book being put up on the wall.

There is also a series of works on the healing power of "seeing". "The Healing with Memories" (1997) image captures a patient and his family being healed as they see their albums projected as slides onto the wall of the hospital. "Healing with Painting" (1996) on the other hand is about a project which attempts to work on the feelings of patients by displaying landscape paintings in the psychiatric ward in the hospital.

In order to appreciate the theme of the Kabakovs' work - how "seeing" makes one happier or transforms your inner self - one should remember that the act of consciously "looking at" something was already a creative act during the period in the Soviet Union when the city was filled with posters and banners bearing ideological words. People were not given the freedom to choose what they could see, even at home in the harsh living conditions of a communal apartment.

Most importantly, the Kabakovs' firm faith in the potential of art lies at the heart of their theme, transforming yourself through "seeing". That is to say, it is the Kabakov's dream and project in which artworks can work on and transform people.

In the Kabakov's early works, "seeing" was often a personal activity of the characters which brought them liberation from a closed space, or happiness. However, it is worth noting that in later works, the emphasis has shifted to "seeing together". In the background of their works, there is the situation of a yet-unresolved divided world, even in the 21st Century after the collapse of the Soviet Union. They represent the trajectory of the dreams of the Kabakovs, who have continuously questioned what art is when creating works as they look at this world.

"The Monument of Tolerance" is a public artwork representing co-existence and diversity installed in the mountain of Matsudai. It is an artwork "to see together" or "to live together through seeing it". The Kabakovs hope that this becomes a place for people to feel connected to the world that exists beyond the surrounding mountains and sky that they would see as they gather around the monument, relaxing and looking at the monument together. The monument will be always there to feel the feeling of people looking at it while subtly changing its colours, reflecting the situations of the world and the surrounding community, including at sad times, on joyful days or during festivals.

The series of works for "The Kabakovs' Dreams" born in Echigo-Tsumari is not only the archive of the Kabakovs dreams, but also a project for living together which is devoted to the lives and dreams of everyone. The Kabakovs work tells us that one can dream a dream even if life is difficult, and dreaming a dream is worthwhile even if the dream never comes true. They show us how we connect to others as we all dream our own dreams which then will be remembered and passed onto generations in diverse forms after death.

(Professor, Faculty of Education and Integrated Arts and Sciences, Waseda University)

制作協力者
《手をたずさえる塔》、まつだい「農舞台」展示会場　設計：利光収+田尾玄秀
《人生のアーチ》 制作監修：鞍掛純一

Production collaborators
Design of "The Monument of Tolerance" and Matsudai Nohbutai exhibition halls: Toshimitsu Osamu + Tao Hirohide
Production supervision of "The Arch of Life": Kurakake Junichi

［編者略歴］

鴻野わか菜
1973年神奈川県横浜市生まれ。東京外国語大学、東京大学人文社会系研究科、国立ロシア人文大学大学院修了（博士、Ph.D）。早稲田大学教育・総合科学学術院教授。共著に『夢みる力――未来への飛翔　ロシア現代アートの世界』（市原湖畔美術館）、『イリヤ・カバコフ「世界図鑑」絵本と原画』（東京新聞）、『幻のロシア絵本1920-30年代』（淡交社）、訳書にレオニート・チシコフ『かぜをひいたおつきさま』（徳間書店）、共訳書に沼野充義編著『イリヤ・カバコフの芸術』（五柳書院）、イリヤ&エミリア・カバコフ『プロジェクト宮殿』（国書刊行会）等。

カバコフの夢

発行日：2021年8月11日

編集・解説テキスト執筆：鴻野わか菜
監修：北川フラム
ブックデザイン：北風総貴
翻訳：鴻野わか菜、ウォラル美和（3, 70-75頁）
編集協力：現代企画室
発行：NPO法人越後妻有里山協働機構
〒942-1526　新潟県十日町市松代3743-1
まつだい「農舞台」内
T. 025-761-7767　info@tsumari-artfield.com
印刷：三永印刷株式会社

発売：株式会社現代企画室
〒150-0033　東京都渋谷区猿楽町29-18
ヒルサイドテラスA-8
T. 03-3461-5082　gendai@jca.apc.org

Ilya and Emilia Kabakov's Dreams

Date of issue: 11 August 2021

Edited and written by Kono Wakana
Supervised by Kitagawa Fram
Designed by Kitakaze Nobutaka
Translated by Kono Wakana, Miwa Worrall (p.3, 70-75)
Cooperative editing by Gendaikikakushitsu Publishers
Published by NPO Echigo-Tsumari Satoyama Collaborative Organization
Matsudai Nohbutai, 3743-1 Matsudai, Tokamachi-city, 942-1526 Niigata. Japan

Printer by Sanei Printery Co., Ltd.

ISBN978-4-7738-2106-2 C0070 Y1500E

Photo credit:
Francesco Allegretto: p.69 (upper center) / Gil Amiaga: p.11(right) / ANZAÏ: p.56-57 / D. James Dee: p.10 (left), p.66 (left), p.68 (center) / Todd Eberle: p.67 (center) / Scott Franses: p.66 (center) / Jurii Geltov: p.10 (right) / Daniel Hegglin: p.65 (upper left) / Emilia Kabakov: p.65 (upper right, lower right, lower left), p.67 (right), p.68 (left, right), p.69 (upper left, lower left, lower center, lower right) / Ilya Kabakov: p.11 (left), / Kioku Keizo: p.15-19, 36-39, 44-45, 52, 54-55 / T. Kuratani: p.5 (right) / Igoris Markovas: p.69 (upper right) / Roman Mensing / artdoc.de: p.66 (upper right) / Nakamura Osamu: p.58 / Dirk Pauwels: p.67 (left) / Yanagi Ayumi: p.64